Petits *C*lassiques
LAROUSSE

Collection fondée par Félix Guirand,
Agrégé des Lettres

Baja

Racine

Tragédie

Édition présentée,
annotée et commentée
par Marie-Claude CANOVA-GREEN,
ancienne élève de l'École normale supérieure,
docteur ès lettres

Sommaire

PREMIÈRE APPROCHE

4	Un but : réussir
12	Une règle : plaire
16	*Bajazet* : des Turcs trop galants
21	La structure : suspense et revirements
27	Des personnages à deux visages
32	Le vocabulaire de la couleur locale
35	Le langage racinien de la passion et de la fatalité

BAJAZET

41	Première préface
43	Seconde préface
49	Acte premier
75	Acte II
97	Acte III
123	Acte IV
145	Acte V

DOCUMENTATION THÉMATIQUE

174	Index des principaux thèmes de *Bajazet*
178	Visages de l'Orient : la femme captive

187	**ANNEXES** (Analyses, critiques, bibliographie, etc.)

226	**PETIT DICTIONNAIRE POUR COMMENTER** *BAJAZET*

Un but : réussir

La carrière de Racine a de quoi surprendre. En effet, rien ne pouvait laisser prévoir que l'orphelin sans le sou, recueilli par charité aux « Petites Écoles » de Port-Royal, deviendrait le plus grand dramaturge de son temps. Ni que ce petit-bourgeois provincial finirait ses jours à la cour, entouré de la faveur royale. Comment en est-il arrivé là ? Par la littérature, bien sûr, mais aussi par une stratégie de carrière bien comprise.

L'orphelin

Racine est né en 1639 à La Ferté-Milon, petite bourgade sans prétention de Picardie, dans la vallée de l'Ourcq, à 76 km de Paris. Au XVIIe siècle, c'est déjà la province. Les Racine n'ont pas beaucoup d'argent ; le père est un petit fonctionnaire des impôts, un « gabelou », comme on disait alors. Après la mort de sa mère, en 1641, et celle de son père, deux ans plus tard, Jean Racine est recueilli par ses grands-parents paternels, de braves gens très pieux. En 1649, à la mort de son grand-père, sa grand-mère se retire au couvent de Port-Royal des Champs, tout près de Paris, et y emmène l'enfant.

L'élève de Port-Royal

À Port-Royal se trouvent non seulement un couvent de religieuses, mais aussi une école qu'a fondée un petit groupe d'hommes pieux ayant choisi de vivre retirés du monde. On les appelle les « Solitaires » ou les « Messieurs de Port-Royal ».

Tous sont « jansénistes », c'est-à-dire pratiquent un catholicisme austère et strict, qui leur vaut régulièrement les foudres de l'Église et de l'État. Cette école, où Jean Racine est admis à titre gracieux, est l'une des meilleures de son temps. Il y reçoit une éducation solide en français, en latin et en grec, dispensée par d'excellents maîtres, selon des méthodes pédagogiques très modernes. Mais les dernières années de son séjour à Port-Royal sont marquées par de nouvelles persécutions contre les « Petites Écoles » (ces institutions d'enseignement organisées par les jansénistes). Celles-ci sont fermées sur ordre du gouvernement, à la suite de la publication des *Provinciales* de Pascal, en 1656. L'auteur s'en était violemment pris, en effet, à l'ordre des Jésuites, grands adversaires des jansénistes, qui leur reprochaient de pratiquer une religion et une morale trop accommodantes.

Racine quitte Port-Royal en 1658, année où on l'envoie terminer ses études au collège d'Harcourt, à Paris, dans l'espoir d'en faire un avocat ou un théologien.

Le collège d'Harcourt.

Le poète aspirant

Cependant, à dix-huit ans passés, Racine se sent plus attiré par la vie mondaine à Paris que par les études de droit ou de théologie. Par l'entremise d'un sien cousin, qui tient chez lui un petit « salon », il entrevoit ce monde littéraire de la capitale qui le fascine tant et fait ainsi la connaissance de La Fontaine. Il se met alors à écrire, à son tour. D'abord un sonnet à la gloire de Mazarin, le tout-puissant ministre de Louis XIV, puis une ode sur le mariage du roi, ce qui lui vaut une petite gratification. Après un court séjour à Uzès en 1661, chez un oncle chanoine qui veut le faire entrer dans les ordres, Racine reprend la plume. Son but est clair : se faire connaître en célébrant les puissants de ce monde.

Le dramaturge à succès

Or Racine pense aussi au théâtre, qui est un genre très populaire à l'époque et un moyen rapide et sûr de se faire un nom et de l'argent. Dès 1660, il cherche à faire représenter une pièce, une tragédie naturellement, puisque c'est alors ce qu'il y a de plus prestigieux. Mais ni l'Hôtel de Bourgogne ni le Marais, les deux grands théâtres parisiens du moment, ne veulent de ses deux premiers essais. Cependant, en 1664, Molière, que *l'École des femmes* vient de rendre célèbre, accepte de jouer, au Palais-Royal, une troisième composition de Racine : la tragédie *la Thébaïde ou les Frères ennemis*. Racine se contente d'un petit succès, tout à fait honorable pour un débutant.

L'année suivante, exploitant le thème, alors à la mode, de la propagande royale, Racine compose une nouvelle tragédie, intitulée *Alexandre le Grand,* qui sera jouée par la troupe de Molière. Le succès cette fois est vif, mais, contrairement à tous les usages, Racine a aussi donné sa pièce à la troupe rivale des « Grands Comédiens » de l'Hôtel de Bourgogne, qui ne tarde pas à la jouer à son tour. Cette manœuvre fait scandale et Racine se brouille avec Molière.

En 1666, Racine refait parler de lui par la publication de deux écrits polémiques (des pamphlets) dirigés contre ses anciens maîtres, les jansénistes, en réponse à leurs attaques contre le théâtre. N'ont-ils pas, en effet, accusé les auteurs d'être des « empoisonneurs publics, non des corps, mais des âmes des fidèles » ? C'est maintenant la rupture ouverte avec Port-Royal. On accuse Racine d'être un froid ambitieux, « capable de tout ». Mais, par le scandale autant que par le succès de sa pièce, Racine s'est fait connaître. Avec la

La Déroute et Confusion des jansénistes.
Gravure anonyme du XVIIe siècle.
Bibliothèque des Arts décoratifs, Paris.

représentation d'*Andromaque* à l'Hôtel de Bourgogne en 1667, son triomphe est assuré. Il se pose dorénavant en rival de Corneille, jusque-là maître incontesté du répertoire tragique. En 1668, c'est à Molière, connu, lui, pour son succès dans le genre comique, qu'il tente cette fois de se mesurer en écrivant la comédie des *Plaideurs*. En même temps, il cherche à s'en distinguer en optant pour une comédie à sketches, de style burlesque, bien éloignée des grandes comédies de caractère moliéresques et des comédies-ballets (comédies entrecoupées d'intermèdes dansés) qui font le régal de la cour. Mais le public parisien ne suit pas et la pièce est presque un échec.

Racine revient alors à la tragédie et adopte le rythme de une pièce par an environ, tirant ses sujets de l'histoire romaine, là où justement s'est illustré Corneille. Il donne ainsi *Britannicus* en 1669 et *Bérénice* en 1670 ; cette dernière fait d'ailleurs concurrence à la tragédie de Corneille sur le même sujet, composée sur ordre, dit-on, de Madame, la belle-sœur du roi. Viennent ensuite *Bajazet* en 1672, *Mithridate* en 1673 et *Iphigénie* en 1674, et, avec elle, le retour aux sujets mythologiques grecs des débuts de Racine. La pièce marque aussi une volonté de rivaliser, dans une certaine mesure, avec le nouveau genre théâtral en vogue à la cour, l'opéra à grand spectacle du compositeur Lully (1632-1687) et de son librettiste Quinault (1635-1688).

En 1674, Racine est en pleine gloire. Il vient d'être élu à l'Académie française, le roi le protège (est son mécène officiel), et il prépare une édition complète de ses œuvres, qui sortira en 1676. Il est reconnu à la fois du monde lettré et de la cour. *Phèdre,* représentée en 1677, consacre cette notoriété malgré les polémiques qui entourent sa représentation. La pièce manque toutefois d'échouer en raison de la cabale montée pour soutenir la *Phèdre* rivale d'un concurrent nommé Pradon, que plus personne ne lit actuellement. Racine a osé cette fois s'attaquer aux grands mythes littéraires, il a choisi le sujet « le plus fameux » de l'Antiquité. Ce faisant, c'est maintenant avec Euripide, le grand tragique grec du Vᵉ siècle avant J.-C., qu'il « rivalise ». Car Racine ne s'affirme qu'en s'opposant aux autres. Son esthétique est avant tout une esthétique du défi.

En septembre 1677, c'est l'adieu au théâtre. Racine est nommé avec Boileau « historiographe » de Louis XIV. Une nouvelle étape de sa carrière commence alors, la plus glorieuse pour un écrivain de l'époque, puisque c'est au service du roi qu'il va désormais mettre sa plume, pour écrire l'histoire glorieuse du monarque.

L'historien du roi

Racine n'arrête donc pas d'écrire ; il écrit tout simplement autre chose. Le dramaturge applaudi du public parisien devient un écrivain officiel et commence par « se ranger ». Finies les liaisons avec les actrices célèbres qui ont créé les grands rôles de ses tragédies, la Du Parc, la Champmeslé... En 1677, il épouse Catherine de Romanet, dont il aura sept enfants. Bon époux, bon père, telle est la nouvelle image de Racine. En même temps, comme le roi vieillissant incline à la dévotion, il se fait dévot. C'est qu'il a désormais ses entrées à la cour ; il y côtoie les plus grands seigneurs, parle au roi, lui fait même la lecture. Comme son nouveau métier l'oblige à le suivre à la guerre, on le voit aussi à ses côtés dans les campagnes de Flandre, d'Alsace ou du Luxembourg. Il publie alors de temps en temps quelque compte rendu de ces campagnes, quelque relation de siège. Mais sa monumentale histoire du règne de Louis XIV ne verra jamais le jour.

Racine n'a pourtant pas véritablement cessé d'écrire pour le théâtre. Mais ses nouvelles pièces, il les écrit pour la cour. Dans l'hiver 1682-1683, il est ainsi chargé de composer un opéra pour les fêtes de l'installation du roi à Versailles ; en 1685, il collabore avec Lully à une œuvre lyrique commanditée par le fils de Colbert ; enfin, en 1689 et en 1691, à la demande de Mme de Maintenon (la compagne du roi), il rédige deux tragédies religieuses, *Esther* et *Athalie,* qui sont jouées par les jeunes filles du pensionnat de Saint-Cyr, devant le roi.

Toujours soucieux de sa réputation littéraire, comme en témoigne le soin qu'il porte à la réédition de ses œuvres, Racine continue à veiller à son ascension sociale. En 1690, il achète une charge de gentilhomme ordinaire du roi, qui l'anoblit et qui, par faveur royale, devient héréditaire trois ans plus tard. En 1692, Louis XIV lui accorde une « pension », sorte de rente annuelle, et en 1696 lui fait encore obtenir une charge de « conseiller-secrétaire du roi ». L'orphelin sans le sou de La Ferté-Milon a fait bien du chemin ! Restait à se réconcilier avec ses anciens maîtres, les jansénistes. C'est chose faite avec la publication de *l'Abrégé de l'histoire de Port-Royal,* apologie qu'il rédige en secret à partir de 1693, avec son aide discrète en leur faveur et avec le vœu exprimé dans son testament d'être inhumé à l'abbaye de Port-Royal des Champs. Il meurt le 21 avril 1699.

269.

Au nom du Pere et du Fils et du
Saint Esprit.

Je desire qu'apres ma mort mon corps soit porté a
Port Royal des Champs, et qu'il y soit inhumé dans le
Cimetiere aux pieds de la fosse de M.r Hamon. Je supplie
tres humblement la Mere Abbesse et les Religieuses de
vouloir bien m'accorder cet honneur, quoy que je m'en
reconnoisse tres indigne et par les *scandales* de ma vie
passée, et par le peu d'usage que j'ay fait de l'excellente
education que j'ay receüe autrefois dans cette Maison
et des grands exemples de pieté et de penitence que j'y ay
veüs et dont je n'ay esté qu'un sterile admirateur.
Mais plus j'ay offensé Dieu plus j'ay besoin des
prieres d'une si sainte Communauté pour *attirer* sa
misericorde sur moy. Je prie aussi la Mere Abbesse
et les Religieuses de vouloir accepter une somme de
huit cens livres que j'ay ordonné qu'on leur donne
apres ma mort. Fait a Paris dans mon cabinet
le dixieme Octobre mille six cens quatrevingt dix
huit. Racine

Sœur [...]

Le testament écrit par Racine le 10 octobre 1690.
Bibliothèque nationale, Paris.

11

Une règle : plaire

Revenant sur le « don de plaire » déjà évoqué à l'occasion de sa première pièce, Racine écrit en 1670 dans la préface de *Bérénice* : « La principale règle est de plaire et de toucher : toutes les autres ne sont faites que pour parvenir à cette première. » Face aux « savants » de son temps, érudits pour qui prime le respect d'un certain nombre de règles dramatiques (la règle des trois unités, la bienséance, la vraisemblance, voir p. 227 et 231), Racine paraît définir une autre esthétique, où l'important est de plaire. Plaire, mais à qui ?

Au public, naturellement. Or, à l'époque où écrit Racine, ce public est loin d'être homogène. Outre les « savants », spécialistes de la littérature en quelque sorte, et qui se piquent d'érudition et de savoir-faire, il y a les « honnêtes gens », c'est-à-dire les hommes et les femmes de la bonne société parisienne, cultivés et raffinés dans l'ensemble, puis les courtisans et le roi lui-même, qui cherchent dans la littérature un délassement, sinon un enseignement. Mais de gens du peuple point. Or, plaire, c'est savoir se conformer aux attentes et aux exigences de ce public multiple.

La galanterie, un art mondain

En tant qu'écrivain soucieux de plaire à son public, Racine rejoint donc une conception de la littérature tout imprégnée de mondanité et influencée par le goût « galant » fort à la mode dans les salons de la capitale. La « galanterie » est alors un art de plaire au sens large, un mode du comportement reposant sur les belles manières et le beau langage. Plus qu'aux savants, auxquels le rattache toutefois l'éducation classique reçue à Port-Royal, c'est à ces mondains, à cette élite de la cour et de la ville, que Racine « s'efforce de plaire » (Première préface de *Britannicus*).

Devant le relatif insuccès de pièces érudites comme *la Thébaïde* ou *Britannicus,* sombres drames où la politique tue, Racine comprend alors qu'il lui faut opter définitivement pour un modèle de tragédie déjà expérimenté dans *Andromaque* : celui de la tragédie galante, où la souffrance et la mort sont liées à l'amour, où le tragique naît du galant. Car c'est cela même la formule de la tragédie racinienne, cette alliance du tragique et du galant qui autorise un jeu sur le raffinement du langage et de la psychologie de l'amour. Avec en plus l'exploitation du « touchant », du goût des pleurs, qui marque la sensibilité de l'époque. Racine a visé juste. *Bérénice* puis *Bajazet* sont des triomphes, même si certains reprochent à Racine de trop donner dans le galant, au mépris de la vérité historique.

Édifier pour mieux séduire ?

C'est avec *Phèdre* et *Iphigénie,* quelques années plus tard, que Racine réussit enfin à répondre à toutes ces attentes, à plaire aux mondains tout en s'imposant aux savants. Il parvient à fondre le goût galant et le courant lettré en alliant l'exploration de la psychologie amoureuse et la recherche du beau langage à des thèmes hérités de la littérature grecque. Lui qui naguère affirmait ouvertement vouloir avant tout plaire choisit maintenant d'afficher son respect des règles et sa conformité avec les grands modèles antiques.

Mais Racine va plus loin encore. Dans la préface de *Phèdre,* il déclare vouloir même « réconcilier la tragédie avec quantité de personnes célèbres par leur piété et par leur doctrine », et faire de la tragédie une école « où la vertu soit [...] mise en jour [...] et le vice [...] peint partout avec des couleurs qui en font connaître et haïr la difformité ». Il ne s'agit donc plus de plaire, mais bien plutôt d'édifier et, en édifiant, de se concilier le parti dévot. Racine a-t-il changé son fusil d'épaule ? À peine, car, derrière ce désir affiché de faire de la morale, n'y a-t-il pas la même volonté de plaire, de plaire cette fois à une cour qui a renoncé à la galanterie pour la dévotion ? Les deux dernières tragédies de Racine sont justement des tragédies religieuses qui célèbrent les voies de la Providence.

Tout au long de sa carrière, des tragédies galantes aux tragédies sacrées, Racine s'est efforcé de plaire. À une élite mondaine surtout, faite de courtisans et d'honnêtes gens, mais aussi, et de plus en plus, au cercle restreint de l'entourage du roi. Mission accomplie. Sa réussite sociale en témoigne.

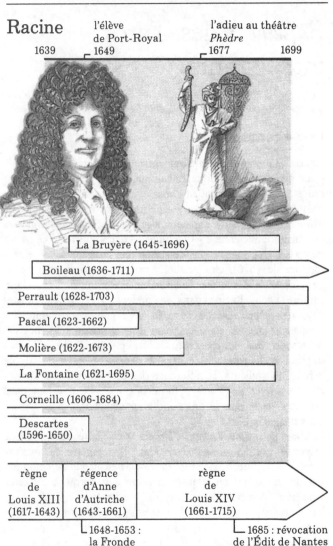

Racine
1639

l'élève
de Port-Royal
1649

l'adieu au théâtre
Phèdre
1677   1699

La Bruyère (1645-1696)

Boileau (1636-1711)

Perrault (1628-1703)

Pascal (1623-1662)

Molière (1622-1673)

La Fontaine (1621-1695)

Corneille (1606-1684)

Descartes
(1596-1650)

règne de Louis XIII (1617-1643)	régence d'Anne d'Autriche (1643-1661)	règne de Louis XIV (1661-1715)

1648-1653 :
la Fronde

1685 : révocation
de l'Édit de Nantes

15

Bajazet : des Turcs trop galants

Une « turquerie »

Bajazet, qui met en scène une intrigue de sérail, est la seule pièce à caractère turc que Racine ait jamais écrite. Il faut voir toute l'audace qui résidait dans le choix d'un sujet presque contemporain, puisque les événements racontés dataient d'à peine trente ans et rompaient avec les traditionnels épisodes de l'histoire ancienne : « Quelques lecteurs pourront s'étonner qu'on ait osé mettre sur la scène une histoire si récente » (préface de 1676). L'originalité provenait aussi du cadre turc, remplaçant le décor grec ou romain traditionnel. Cependant, comme l'écrit Racine dans sa préface, « l'éloignement des pays répare en quelque sorte la trop grande proximité des temps » et suscite, au même titre que la distance temporelle, ce respect que le spectateur doit éprouver pour le héros tragique et le revêt de la dignité nécessaire au statut de ce dernier. Par ailleurs, la différence des mœurs et des coutumes fait considérer les Turcs comme des « gens qui vivent dans un autre siècle que le nôtre ». Ils en deviennent presque des personnages anciens.

C'est pourquoi Racine s'efforce de « faire turc » et de respecter ces coutumes étrangères. Il remplace le fameux « palais à volonté », habituel décor passe-partout de colonnes, par un décor qui représente un salon à la turque ; il habille vraisemblablement ses acteurs de costumes orientaux (mais les témoignages manquent à ce sujet) ; il utilise un vocabulaire imagé et évocateur ; il dépeint enfin la « férocité » des passions qui s'exaspèrent dans l'huis clos du sérail.

16

Littérairement, le sujet n'était pas aussi nouveau que Racine voulait bien le laisser croire. Dans les années 1640, plusieurs dramaturges avaient puisé à la même source d'inspiration et traité des épisodes de l'histoire turque. Plus récemment, la publication d'ouvrages d'érudition et de récits de voyages avait remis les « turqueries » à la mode. Molière même venait de remporter un vif succès avec son *Bourgeois Gentilhomme*.

Politiquement, le sujet était aussi d'actualité. La présence à Paris, en décembre 1669, de Muta-Férague, l'envoyé du Grand Seigneur, était encore dans toutes les mémoires et avait réveillé une fascination latente pour ce pays lointain et mystérieux. Après les rapports tendus du début des années 1660, marquées par un réveil de l'esprit de croisade en Europe, Louis XIV tentait, en effet, un rapprochement avec l'Empire ottoman. La neutralité bienveillante, sinon l'alliance, du Sultan lui paraissait utile au moment où il s'apprêtait à envahir la Hollande. Économiquement, on était aussi en pleines négociations avec les Turcs. Le gouvernement cherchait à renouveler l'ancien traité de commerce des « capitulations » (traités consacrant l'existence de territoires commerciaux dans l'Empire ottoman) tombé depuis longtemps en désuétude. Les négociations allaient d'ailleurs aboutir en 1673.

Encore une fois, Racine a donc bien su deviner les attentes de son public et tirer profit d'un sujet à la mode tout en célébrant indirectement la politique royale. Pour plaire en 1672, il faut non seulement faire turc, mais aussi faire galant.

Une pièce galante

Les contemporains de Racine ont bien perçu cette galanterie : les Turcs dans *Bajazet* sont aussi doux et courtois que les femmes y sont tendres et galantes. La mort rôde à chaque pas, le temps presse, il faut agir, mais les protagonistes s'oublient à parler sans cesse d'amour.

La Champmeslé (1642-1698) dans le rôle d'Atalide.
Détail d'une peinture de Pierre Mignard (1606-1668).

Bajazet est l'histoire d'une rivalité amoureuse, celle d'un homme pris entre deux femmes, situation en triangle banale au fond. Mais, dans le sérail, lieu clos où s'exacerbent les passions, rien n'est jamais simple. Bajazet, le frère du sultan Amurat, répond à l'amour d'Atalide tout en faisant semblant d'aimer Roxane, favorite du sultan, qui a tout pouvoir sur lui. Le discours de l'amour est donc à la fois vrai et faux. La galanterie se pervertit ; elle devient mensonge, feinte, duplicité. Atalide et Bajazet trompent Roxane. C'est un jeu dangereux qui finit par peser sur les consciences et tourne mal. Bajazet et Atalide en meurent, mais ils meurent pour n'avoir pas su jusqu'au bout jouer ce jeu de la feinte et du mensonge. À l'acte III, le masque glisse, les protagonistes trahissent leurs véritables sentiments et cette défaillance momentanée les tue.

Comme dans *Britannicus,* comme dans *Bérénice,* la passion amoureuse et la politique s'entrelacent dans la pièce, car, derrière le jeu d'Atalide et de Bajazet, il y a le projet politique du vizir Acomat, le complot qui pousse Bajazet dans les bras de Roxane et qui dresse les deux frères l'un contre l'autre dans leur rivalité pour le trône. Bajazet et Amurat sont des frères ennemis. Racine retrouve ici ce thème cher à la tragédie antique, qui a déjà fait le schéma de *Britannicus.*

L'enjeu sentimental et l'enjeu politique coïncident. Pour régner, Bajazet doit aimer Roxane et l'épouser. Mais Acomat ne voit pas que cet amour de Bajazet n'est qu'une feinte, il ne voit pas l'amour vrai de Bajazet et d'Atalide. Lui, le politique lucide qui croit mener le jeu, en est la première victime. Ses calculs cyniques achoppent sur l'existence insoupçonnée de cet amour sincère. Car *Bajazet* est une pièce lourde d'ironie. Rien de ce que font les protagonistes n'aboutit. Tandis qu'ils s'agitent et croient pouvoir influer sur le cours des événements, qu'ils espèrent vivre, de loin le sultan agit. Il ordonne la mort de Roxane et de Bajazet avant même que la pièce ne commence. En fait, tout est décidé d'avance. Le temps de la pièce est un temps qui n'existe pas. Il est pour ainsi dire déjà révolu. La volonté désespérée d'agir des protagonistes n'est qu'une agitation vaine. La victoire du sultan et le retour triomphal de son armée ont rendu leur mort inévitable. Dès le début, il est trop tard. L'ironie est une ironie tragique.

La représentation

C'est le 5 janvier 1672 que *Bajazet* a été représenté à l'Hôtel de Bourgogne. Mlle d'Ennebaut jouait Roxane et la Champmeslé Atalide. Ces deux grands rôles, ces deux actrices, célèbres en leur temps, ont été à même d'éveiller chez le spectateur les sentiments de terreur et de pitié qui sont l'essence même de la tragédie. Cependant, les partisans de Corneille, par fidélité au passé, ont reproché à Racine son manque de couleur historique et la galanterie exagérée de ses personnages. Selon eux, les protagonistes

> « N'étaient Turcs que de visage
> Car pour les mœurs, pour le langage,
> C'étaient de naturels Français »
> (Barbier d'Aucour).

Le mot était lâché. Les Turcs de *Bajazet* étaient trop galants. La pièce ne s'est jamais vraiment relevée de cette condamnation. Elle reste l'une des œuvres le moins souvent représentées de Racine.

La structure : suspense et revirements

L'action de *Bajazet* est comprise entre deux ultimatums que Roxane lance à Bajazet et qui mettent en évidence la circularité de la pièce. Au « Pour la dernière fois je le vais consulter. Je vais savoir s'il m'aime » (I, 3) répond le « Pour la dernière fois, veux-tu vivre et régner ? » (V, 4). Entre ces deux ultimatums, il n'y a qu'une seule alternative : vivre et régner, ou mourir. Au moment où la pièce commence, Roxane exige de Bajazet qu'il l'épouse, le trône et la liberté sont à ce prix. Cinq actes plus tard, le choix décisif n'a toujours pas été fait et Roxane réitère sa demande. En apparence, il ne s'est donc rien passé, mais, en réalité, tout a été bouleversé.

Comment se débarrasser d'Amurat (acte I)

Le sultan Amurat a quitté Constantinople pour aller guerroyer contre les Perses. De l'issue de cette guerre dépend l'avenir de l'Empire turc, comme l'explique au grand vizir Acomat son confident Osmin, qui revient de l'armée. De fait, tout repose sur une double hypothèse : si le sultan Amurat est vainqueur, son frère Bajazet mourra. S'il est vaincu, la révolte de l'armée est inévitable et fera réussir le plan personnel du vizir : mettre Bajazet sur le trône et assurer lui-même son pouvoir en épousant la princesse Atalide. Pour mener ce plan à bien, l'aide de Roxane, la favorite du sultan, s'est révélée nécessaire. Acomat l'a intéressée au sort de Bajazet et a favorisé, par l'entremise d'Atalide, un amour qu'il croit réciproque. Il attend à présent Roxane au sérail pour lui rendre compte de la mission d'Osmin (sc. 1).

L'entrevue a lieu, mais, malgré l'insistance d'Acomat, Roxane refuse de prendre la décision qui doit donner le signal de la révolte avant de s'être assurée des sentiments de Bajazet à son égard (sc. 2).

Roxane révèle à Atalide que, pour prix de son amour et de son aide, elle exige que Bajazet l'épouse, et cela malgré la coutume des sultans qui interdit de se marier (sc. 3).

Restée seule avec sa confidente, Atalide donne libre cours à son désespoir. Bien qu'ils aient toujours caché leur amour, Bajazet et elle s'aiment depuis l'enfance. Et, par amour pour elle, Bajazet refusera d'épouser Roxane et se perdra. Tentée de le prévenir, Atalide décide pourtant de n'en rien faire (sc. 4).

Le refus de Bajazet (acte II)

Roxane pose un ultimatum à Bajazet : l'épouser et régner, ou mourir de la main des muets. Alléguant la coutume des sultans, Bajazet refuse et persiste dans son refus malgré les menaces et les supplications de la sultane (sc. 1). Furieuse, Roxane fait fermer le sérail et renvoie Acomat (sc. 2).

Face à l'effondrement de son plan, le vizir essaie de faire revenir Bajazet sur sa décision et lui conseille de promettre le mariage à Roxane, quitte à revenir ensuite sur sa promesse. Bajazet s'indigne à l'idée de cette compromission (sc. 3).

Surmontant sa jalousie, Atalide essaie à son tour de convaincre Bajazet d'accepter – ou du moins de faire semblant d'accepter – les conditions de Roxane. Pour faire céder son amant, elle menace de tout révéler à Roxane et de se sacrifier avec lui. Bajazet promet alors de revoir la sultane (sc. 5).

La jalousie d'Atalide (acte III)

Apprenant de sa confidente que Bajazet et Roxane se sont réconciliés, Atalide laisse éclater sa jalousie et annonce sa

Bāyazid Iᵉʳ (1354-1403), ou Bajazet,
sultan ottoman qui régna 13 ans.

décision de mourir (sc. 1). Acomat vient lui rendre compte de l'entrevue de Bajazet et de Roxane, à laquelle il a assisté de loin. Mais son récit peu fidèle ne sert qu'à attiser davantage la jalousie et le chagrin d'Atalide, qui se croit trahie par Bajazet (sc. 2 et 3).

Arrive Bajazet, que Roxane vient de libérer. Il reste stupéfait devant les reproches dont l'accable Atalide et dont il tente de se justifier en invoquant la crédulité de Roxane. Il prend finalement la décision de détromper Roxane une fois pour toutes. Sur ces entrefaites survient la sultane elle-même. Atalide n'a que le temps de supplier Bajazet de continuer à feindre (sc. 4). À l'enthousiasme de Roxane, Bajazet oppose un silence glacé, lui rappelant sèchement qu'il ne l'a assurée que de sa reconnaissance (sc. 5).

Roxane sent renaître ses soupçons, que confirme la maladresse d'Atalide à défendre Bajazet (sc. 6). Restée seule, en proie au doute, elle commence à entrevoir une partie de la vérité qu'on lui cache. Bajazet aimerait-il Atalide ? (sc. 7). Zatime, l'esclave de Roxane, entre annoncer l'arrivée d'Orcan, le messager d'Amurat. Sans doute vient-il demander la mort de Bajazet (sc. 8).

La découverte de la lettre (acte IV)

Bajazet est de nouveau prisonnier. En réponse à un billet d'Atalide le suppliant d'apaiser la colère de la sultane, il a fait parvenir à la princesse une lettre où il lui déclare son amour. Surprise par l'arrivée soudaine de Roxane, Atalide cache cette lettre dans son corsage (sc. 1). Roxane apprend à Atalide le retour du sultan victorieux et lui fait croire qu'elle est résolue à lui obéir et qu'elle a même déjà donné l'ordre de faire exécuter Bajazet. Atalide s'évanouit de douleur, et on l'emmène (sc. 3).

Restée seule, Roxane ne peut plus se faire d'illusions sur

les sentiments qui unissent Bajazet et Atalide. Elle décide pourtant de fermer les yeux et de remettre à plus tard le soin de se venger (sc. 4). Mais sa confidente Zatime lui apporte la lettre trouvée sur Atalide. Ne pouvant plus douter de la trahison de Bajazet, elle veut faire périr les deux amants (sc. 5). Instruit par la sultane, Acomat s'offre à la venger, mais Roxane retient son bras, se réservant le soin de la vengeance (sc. 6).

Sitôt Roxane sortie, Acomat se hâte de détromper Osmin. Il ne s'est gardé de contredire Roxane que pour gagner du temps. Loin de renoncer à son plan, il en précipite l'exécution et prend la décision de forcer les portes du sérail avec ses amis pour délivrer Bajazet (sc. 7).

« La grande tuerie » (acte V)

Atalide s'aperçoit qu'elle a perdu la lettre de Bajazet et craint que Roxane ne l'ait trouvée. Elle est désormais prisonnière de la sultane (sc. 1).

Partagée entre son amour et son désir de vengeance, Roxane pose un nouvel ultimatum à Bajazet. La lettre à la main, elle lui propose, afin qu'il se rachète, d'assister au supplice d'Atalide. Son pardon est à ce prix. Horrifié, Bajazet refuse. En lui ordonnant de sortir, Roxane l'envoie à la mort (sc. 4).

Atalide vient s'accuser devant Roxane et la supplie d'épargner Bajazet en échange de sa propre mort. Roxane lui laisse ignorer que Bajazet est déjà mort (sc. 6). Zatime accourt annoncer qu'Acomat et ses amis ont envahi le palais. Roxane sort l'arrêter (sc. 7). Restée seule avec Atalide, Zatime refuse de parler (sc. 8).

À la recherche de Bajazet, Acomat fait irruption sur scène, suivi de Zaïre, qui apprend aux personnages présents qu'Orcan vient de tuer Roxane. Atalide croit Bajazet sauvé (sc. 9 et 10). Osmin apparaît alors, qui confirme la mort de Roxane, assassinée sur les ordres du sultan et qui révèle celle de Bajazet, qu'il est arrivé trop tard pour sauver. Acomat propose à Atalide de fuir (sc. 11). Se croyant seule responsable de la mort de Bajazet et pénétrée de remords, Atalide se tue devant sa confidente (sc. 12).

Des personnages
à deux visages

Les protagonistes de *Bajazet* sont des êtres complexes et ambivalents. Dans un univers de ruse et de mensonge, tous sont pris dans un jeu de dupes où pour autrui le masque finit par se confondre avec la personne réelle et où chacun en arrive à s'illusionner sur son propre compte. Mi-coupables, mi-innocents, ils se débattent sous le regard d'un personnage invisible, le sultan, qui, comme le Dieu d'*Athalie,* sait tout et peut tout.

Amurat ou le pouvoir absent

Absent, puisqu'il est parti guerroyer au loin contre les Perses, le sultan n'en est pas moins présent par la fatalité que son pouvoir de contrainte fait peser sur les principaux protagonistes de la pièce. C'est lui qui détient le vrai pouvoir, celui qui détermine le sort des autres. De son action militaire dépendent les chances de succès de la conjuration ; de sa décision dépend la vie des conjurés, qui se croient libres et se révoltent parce que le sultan, justement, n'est pas là.

Les deux messagers qu'il envoie successivement à Constantinople pour demander la mort de Bajazet sont la manifestation tangible, le prolongement de cette toute-puissance à laquelle tous essaient de se soustraire en vain. Et le retour, d'abord incertain, puis assuré, et bientôt imminent d'Amurat victorieux, en diminuant la distance qui sépare son camp du sérail, rapproche un peu plus à chaque instant les protagonistes de la mort.

Roxane et Atalide : des passionnées

Roxane

On a vu en Roxane la femme sensuelle et violente dont l'amour possessif et égoïste se mue en haine et en cruauté quand elle découvre la jalousie. Mais son comportement impulsif trahit avant tout son désarroi devant le peu d'effet de ses charmes sur Bajazet, alors qu'elle a sur lui pouvoir de vie et de mort. Elle ne comprend pas que l'amour ne soit pas un marché, qu'il ne puisse être une valeur d'échange. Aussi se pose-t-elle autant de questions sur elle-même que sur son captif. Elle n'a que la force pour elle, mais même cette force n'est qu'une délégation de pouvoir, car elle ne commande que dans la mesure où Amurat est absent ou apparemment vaincu. Elle est elle-même sujette à une toute-puissance qui la terrorise autant que les autres.

L'autre erreur de Roxane, c'est de se masquer la vérité, de refuser de voir en face les signes d'une réalité qui ne répond pas à ses désirs. « Je veux tout ignorer », s'écrie-t-elle devant la quasi-évidence. Encouragé par Atalide, l'aveuglement volontaire de Roxane, qui s'accroche désespérément à l'illusion, rend plus tragique encore l'illumination soudaine que lui apporte la découverte de la lettre et de la duplicité d'Atalide et de Bajazet à l'acte IV. Elle y découvre aussi sa propre responsabilité. Effrayante dans sa fureur, Roxane est également un être pitoyable dans sa détresse. En détruisant Bajazet, elle se détruit elle-même. Et elle le sait.

Atalide

La tendre et douce Atalide, qui a fait verser bien des larmes aux contemporains de Racine, est aussi une « femme de tête » qui n'hésite pas à mentir pour sauver son amant. De fait, elle est le personnage qui, dans la pièce, ment le plus et même sans remords. Cependant, elle finit par être victime de sa propre machination et par se prendre à son propre

28

Rachel (1820-1858) dans le rôle de Roxane.

mensonge, puisqu'elle croit à l'amour feint de Bajazet pour Roxane. Aussi possessive et dominatrice, par certains côtés, que Roxane, aussi jalouse qu'elle, elle est parfois prête à voir mourir Bajazet plutôt qu'à le sacrifier à Roxane. « Votre mort [...] ne me paraissait pas le plus grand des tourments », lui dit-elle. Et c'est sa jalousie, qu'elle ne peut réprimer, qui sera la cause indirecte de la mort de Bajazet.

Bajazet : un acteur mal dans sa peau

Bien que la pièce porte son nom, Bajazet n'a pas le rôle le plus important. Il paraît peu sur scène et ne fait rien. Mais c'est que, justement, il ne peut rien faire, sinon louvoyer et éviter de répondre à une question unique : aime-t-il Roxane ou Atalide ? Quand enfin il répond, il en meurt. Malgré son honnêteté et sa droiture morale, Bajazet est un être faible. Même s'il ne ment pas vraiment, il laisse planer le doute ; il vit dans l'équivoque. Mais il souffre de cette situation, il voudrait y échapper et affronter Amurat dans de vrais combats. La liberté, pour lui, c'est ce rêve d'héroïsme et d'authenticité. C'est pour cela qu'il refuse les compromissions, qu'il préfère finalement mourir de la main des muets plutôt que de sortir du sérail grâce à une fausse promesse de mariage. Il ne sait pas se parjurer. Mais ce qui définit vraiment Bajazet, c'est son amour pour Atalide, cet « amour sororal » né dès l'enfance, auquel la durée et l'approbation maternelle ont donné une légitimité et qu'il ne peut sacrifier sans renoncer à lui-même.

Acomat : l'apprenti sorcier

Acomat représente à première vue le politique clairvoyant et cynique, celui qui conseille à Bajazet de ne pas respecter la foi jurée. Rusé et rompu aux intrigues du sérail (« Nourri dans le sérail, j'en connais les détours », affirme-t-il), il lui est moralement attaché. Il est pourtant le seul à pouvoir en sortir, à pouvoir se déplacer librement de la ville au palais et à pouvoir peut-être fuir à la fin. Ne pensant qu'à ses intérêts, il manipule les autres et ne voit dans l'amour qu'un ressort qu'il croit être capable de faire jouer à sa guise. Mais, en définitive, ce grand politique ne connaît pas les hommes. Il ne sait pas voir l'amour de Bajazet et d'Atalide et son plan trébuche sur la jalousie de cette dernière. En fait, le contrôle de la situation lui échappe très tôt, et sans qu'il s'en rende compte. Il joue un peu les apprentis sorciers.

Le vocabulaire
de la couleur locale

Babylone : Bagdad (seconde préface et v. 17, 22, 60, 218, 1170, 1185, 1189).

Byzance : Constantinople (première préface et v. 10, 26, 61, 226, 245, 433, 1334).

étendard : étendard du prophète Mahomet que l'on déployait en temps de grand danger (v. 239, 848, 1337).

Euxin : mer Noire (v. 80).

janissaires : corps d'élite qui constituait la garde du sultan (v. 29, 38, 489, 621).

muets : aussi appelés « bizehami », serviteurs du sultan, sourds et muets de naissance (v. 435, 1279, 1455, 1545).

ottoman : adjectif utilisé au sens strict pour désigner les descendants de l'émir Othman, fondateur de la puissance turque en Asie Mineure au commencement du XIVe siècle (liste des personnages et v. 15, 126, 459, 465, 475, 594, 643, 1591).

porte sacrée : porte d'Andrinople par laquelle, à son avènement, Murad IV fit son entrée dans le sérail (v. 625).

sérail : signifie à la fois le palais du sultan et cette partie du palais réservée aux femmes que l'on appelle le « harem » (première et seconde préface et v. 128, 204, 571, 586, 629, 796, 877, 894, 1014, 1339, 1425, 1530, 1658).

sultan : aussi nommé « Sa Hautesse » ou le « Grand Seigneur », souverain de l'Empire ottoman (v. 16, 30, 54, 77, 81, 116, 185, 197, 214, 224, 290, 315, 443, 589, 626, 725, 859, 1100, 1102, 1111, 1174, 1355, 1388, 1392, 1630, 1680).

sultane : la favorite (et non l'épouse) du sultan. Ce titre était

Les janissaires de Soliman le Magnifique.
Gravure anonyme du XVIᵉ siècle (détail).

donné à celle des femmes du harem qui avait, la première, donné naissance à un fils (v. 1, 102, 135, 141, 174, 298, 674, 729, 845, 905, 982, 1139, 1375, 1424, 1532, 1584, 1686).

vizir : officier du conseil du sultan. Le grand vizir Achem, à qui était confié le soin des affaires de l'État, jouissait d'une puissance presque égale à celle du sultan lui-même (v. 52, 91, 185, 311, 579, 779, 796, 798, 843, 1234, 1382, 1428, 1633, 1744).

Le langage racinien
de la passion
et de la fatalité

amant : qui aime et qui est parfois aimé en retour (v. 352, 356, 403, 418, 541, 687, 700, 742, 763, 830, 836, 843, 856, 864, 870, 880, 974, 975, 1122, 1224, 1244, 1261, 1324, 1383, 1433, 1681, 1695, 1725, 1730, 1746).

bontés : a le sens général d'actes de bienveillance (v. 533, 617, 677, 1090, 1606) et, plus particulièrement, celui de marques d'amour données par une femme à un homme (v. 273, 1032, 1050, 1306, 1525, 1564). Le terme est souvent volontairement ambigu.

cœur : peut signifier courage (v. 47, 59, 122, 179), pensée, désirs intérieurs (v. 31, 208, 330) ou encore amour ou affection (v. 120, 267, 810, 1577).

cruel (et **cruauté**) qui provoque la souffrance, le malheur ou la mort (v. 123, 248, 709, 996, 1276, 1287, 1296, 1443, 1648, 1678, 1726) ; en langage galant, le mot sert à marquer l'indifférence sentimentale (v. 552, 761, 769).

déclarer : rendre manifeste (v. 247, 411, 846).

se déclarer : faire connaître ses sentiments, ses intentions (v. 96, 225, 249, 353, 1209, 1340, 1341).

destin (et **destinée**) : sort, ce qui doit arriver dans l'avenir (v. 15, 58, 63, 221, 258, 678, 704, 1705).

ennui : tourment, peine profonde (v. 410).

feux : en langage galant, sentiments amoureux (v. 888).

flamme : en langage galant, amour (v. 166, 886, 994, 1495).

foi : fidélité à la parole donnée, cette parole elle-même et la confiance qui en résulte (v. 149, 176, 193, 279, 292, 347, 403, 450, 635, 647, 650, 655, 696, 907, 943, 966, 1007, 1027, 1210, 1228, 1372, 1500, 1547, 1604).

fortune : sort, destin (v. 137, 162, 870, 988, 1238, 1382).

fureur (et **furieux**) : déchaînement d'une passion qui peut aller jusqu'à la folie, l'agitation — du dedans — de l'âme (v. 456, 587, 687, 763, 781, 809, 869, 1020, 1245, 1277, 1389, 1420, 1552, 1729). À distinguer de furie, qui marque plutôt une agitation du dehors (v. 265, 541, 1695).

gloire (et **glorieux**) : illustre réputation née du mérite et la conscience de cette réputation (v. 49, 121, 305, 382, 440, 514, 770, 1518, 1534, 1546, 1740).

ingrat : celui qui n'a pas de reconnaissance des bienfaits reçus (v. 1116, 1356, 1361) et, plus particulièrement, qui ne répond pas à l'amour qu'on lui témoigne (v. 323, 523, 527, 774, 1089, 1238, 1288, 1312, 1537).

perfide (et **perfidie**) : qui manque à sa parole, qui trahit celui qui lui fait confiance (v. 654, 997, 1150, 1208, 1220, 1346, 1486, 1685) ; en langage galant, infidèle en amour (v. 535, 717, 1122, 1245, 1300, 1489, 1566).

soin(s) : souci de quelque chose (v. 84, 407, 682, 1056, 1063, 1276) ; précaution que l'on prend ou attention que l'on porte à quelque chose ou à quelqu'un (v. 139, 243, 349, 371, 381, 558, 601, 730, 839, 960, 1159, 1212, 1239, 1306, 1317, 1334, 1472, 1518, 1583, 1594) ; en langage galant, assiduités auprès d'une femme (v. 157, 269, 857).

tendresse (et **tendre**) : sentiment tendre où se mêlent l'orgueil et la cruauté (v. 170, 713, 782, 909, 1025, 1614).

trahir (et **traître, trahison**) : au sens actuel, livrer une personne à qui l'on doit fidélité, renier ses engagements ou divulguer un secret (v. 57, 675, 1073, 1116, 1270, 1345, 1351, 1581, 1634, 1640) ; en langage galant, manquer de fidélité à l'être aimé (v. 727, 1240, 1275, 1312, 1315, 1319). Les deux sens se recouvrent parfois.

transports : mouvements passionnels, sentiments violents (v. 798, 862, 930, 932).

vœux : promesse, souhait, prière, désir ardent (v. 134, 522, 589, 963, 1147, 1521, 1528, 1636) ; en langage galant, hommages à une femme (v. 172).

Racine au palais du Louvre.
Gravure anonyme. Bibliothèque nationale, Paris.

Bajazet

Racine

Tragédie représentée
pour la première fois
en janvier 1672

Frontispice d'une édition de *Bajazet* (détail).
Bibliothèque nationale, Paris.

Première préface[1]

Quoique le sujet de cette tragédie ne soit encore dans aucune histoire imprimée, il est pourtant très véritable. C'est une aventure arrivée dans le sérail, il n'y a pas plus de trente ans[2]. M. le comte de Cézy était alors ambassadeur à Constantinople[3]. Il fut instruit de toutes les particularités de la mort de Bajazet ; et il y a quantité de personnes à la cour qui se souviennent de les lui avoir entendu conter lorsqu'il fut de retour en France. M. le chevalier de Nantouillet[4] est du nombre de ces personnes, et c'est à lui que je suis redevable de cette histoire, et même du dessein que j'ai pris d'en faire une tragédie. J'ai été obligé pour cela de changer quelques circonstances. Mais comme ce changement n'est pas fort considérable, je ne pense pas aussi qu'il soit nécessaire de le marquer au lecteur. La principale chose à quoi je me suis attaché, ç'a été de ne rien changer ni aux mœurs ni aux coutumes de la nation, et j'ai pris soin de ne rien avancer qui ne fût conforme à l'histoire des Turcs et à la nouvelle

1. Elle date de 1672.
2. Les événements racontés datent en fait de 1635 et de 1638.
3. Philippe de Harlay, comte de Cézy, fut ambassadeur à Constantinople de 1618 à 1639.
4. François de Prat, chevalier de Nantouillet, était l'ami de Racine. L'année même de la création de *Bajazet,* il faillit se noyer au passage du Rhin. Cette scène fut immortalisée par Boileau, autre ami de Racine, dans une Épître restée célèbre.

Relation de l'Empire ottoman, que l'on a traduite de l'anglais[1].
Surtout je dois beaucoup aux avis de M. de La Haye[2], qui a
eu la bonté de m'éclaircir sur toutes les difficultés que je lui
ai proposées.

---

1. Racine fait ici allusion à deux ouvrages contemporains, *l'Histoire
des Turcs, contenant tout ce qui s'est passé dans cet empire depuis
l'an 1612 jusqu'à l'année présente 1649* de Mézeray (Paris, 1650 ;
rééd. Paris, 1662) et *Histoire de l'état présent de l'Empire ottoman ;
contenant les maximes politiques des Turcs, traduite de l'anglais de
M. Ricaut* par Briot (Paris, 1670).
2. Jean de La Haye, seigneur de Venteley, succéda à M. de Cézy
comme ambassadeur à Constantinople. Il fut lui-même remplacé par
M. de Nointel en 1671.

Seconde préface[1]

Sultan Amurat, ou sultan Morat[2], empereur des Turcs, celui qui prit Babylone[3] en 1638, a eu quatre frères. Le premier, c'est à savoir Osman[4], fut empereur avant lui, et régna environ trois ans, au bout desquels les janissaires lui ôtèrent l'empire et la vie. Le second se nommait Orcan. Amurat, dès les premiers jours de son règne, le fit étrangler[5]. Le troisième était Bajazet, prince de grande espérance, et c'est lui qui est le héros de ma tragédie. Amurat, ou par politique, ou par amitié, l'avait épargné jusqu'au siège de Babylone. Après la prise de cette ville, le sultan victorieux envoya un ordre à Constantinople pour le faire mourir. Ce qui fut conduit et exécuté à peu près de la manière que je le représente. Amurat avait encore un frère, qui fut depuis le sultan Ibrahim[6], et que ce même Amurat négligea comme un prince stupide, qui ne lui donnait point d'ombrage. Sultan Mahomet[7], qui règne aujourd'hui, est fils de cet Ibrahim, et par conséquent neveu de Bajazet.

Les particularités de la mort de Bajazet ne sont encore dans

---

1. Elle date de 1616.
2. Murad IV, surnommé « le Victorieux », régna de 1623 à 1640.
3. *Babylone* : nom que portait l'actuelle ville de Bagdad.
4. Othman II (ou Osman), devenu sultan en 1618, mourut étranglé en 1622. Mustapha lui succéda brièvement.
5. En fait, Orcan fut assassiné en même temps que Bajazet. lors du siège d'Erivan en 1635, et non en 1638 pendant celui de Bagdad, comme le prétend Racine.
6. Cet Ibrahim régna de 1640 à 1648.
7. Il s'agit de Mahomet IV, qui succéda à son père en 1648 et fut déposé en 1687 par son propre frère Soliman.

aucune histoire imprimée. M. le comte de Cézy était ambassadeur à Constantinople lorsque cette aventure tragique arriva dans le sérail. Il fut instruit des amours de Bajazet et des jalousies de la sultane. Il vit même plusieurs fois Bajazet, à qui on permettait de se promener quelquefois à la pointe du sérail, sur le canal de la mer Noire. M. le comte de Cézy disait que c'était un prince de bonne mine. Il a écrit depuis les circonstances de sa mort[1]. Et il y a encore plusieurs personnes de qualité qui se souviennent de lui en avoir entendu faire le récit lorsqu'il fut de retour en France.

Quelques lecteurs pourront s'étonner qu'on ait osé mettre sur la scène une histoire si récente, mais je n'ai rien vu dans les règles du poème dramatique qui dût me détourner de mon entreprise. À la vérité, je ne conseillerais pas à un auteur de prendre pour sujet d'une tragédie une action aussi moderne que celle-ci, si elle s'était passée dans le pays où il veut faire représenter sa tragédie, ni de mettre des héros sur le théâtre qui auraient été connus de la plupart des spectateurs. Les personnages tragiques doivent être regardés d'un autre œil que nous ne regardons d'ordinaire les personnages que nous avons vus de si près. On peut dire que le respect que l'on a pour les héros augmente à mesure qu'ils s'éloignent de nous : *major e longinquo reverentia*[2]. L'éloignement des pays répare en quelque sorte la trop grande proximité des temps, car le peuple ne met guère de différence entre ce qui est, si j'ose ainsi parler, à mille ans de lui, et ce qui en est à mille lieues. C'est ce qui fait, par exemple, que les personnages turcs, quelque modernes qu'ils soient, ont de la dignité sur notre théâtre. On les regarde de bonne heure comme anciens.

---

1. Cette relation n'a pas été retrouvée, à moins que Racine ne fasse ici allusion aux dépêches diplomatiques envoyées par Cézy.
2. « De loin le respect est plus grand » (Tacite, *Annales*, livre I, chapitre 47).

Ce sont des mœurs et des coutumes toutes différentes. Nous avons si peu de commerce avec les princes et les autres personnes qui vivent dans le sérail, que nous les considérons, pour ainsi dire, comme des gens qui vivent dans un autre siècle que le nôtre.

C'était à peu près de cette manière que les Persans étaient anciennement considérés des Athéniens. Aussi le poète Eschyle[1] ne fit point de difficulté d'introduire dans une tragédie[2] la mère de Xerxès, qui était peut-être encore vivante, et de faire représenter sur le théâtre d'Athènes la désolation de la cour de Perse, après la déroute de ce prince. Cependant ce même Eschyle s'était trouvé en personne à la bataille de Salamine, où Xerxès avait été vaincu, et il s'était trouvé encore à la défaite des lieutenants de Darius, père de Xerxès, dans la plaine de Marathon[3]. Car Eschyle était homme de guerre, et il était frère de ce fameux Cynégire, dont il est tant parlé dans l'Antiquité, et qui mourut si courageusement en attaquant un des vaisseaux du roi de Perse[4].

Je me suis attaché à bien exprimer dans ma tragédie ce que nous savons des mœurs et des maximes des Turcs. Quelques gens ont dit que mes héroïnes étaient trop savantes en amour et trop délicates pour des femmes nées parmi des peuples qui passent ici pour barbares. Mais sans parler de tout ce qu'on lit dans les relations des voyageurs, il me semble qu'il suffit de dire que la scène est dans le sérail[5]. En

---

1. *Eschyle* : dramaturge grec du Ve siècle av. J.-C.
2. Il s'agit de la tragédie intitulée *les Perses*.
3. Les batailles de Salamine et de Marathon eurent lieu respectivement en 490 et 480 av. J.-C.
4. Le paragraphe suivant fut supprimé dans l'édition de 1697 des *Œuvres complètes*.
5. Racine prend ici « sérail » au sens restreint de « harem », c'est-à-dire de partie du palais réservée aux femmes. Étymologiquement, « sérail » signifie « palais », signification que le terme revêt ailleurs dans la pièce.

effet, y a-t-il une cour au monde où la jalousie et l'amour doivent être si bien connues que dans un lieu où tant de rivales sont enfermées ensemble, et où toutes ces femmes n'ont point d'autre étude, dans une éternelle oisiveté, que d'apprendre à plaire et à se faire aimer ? Les hommes vraisemblablement n'y aiment pas avec la même délicatesse. Aussi ai-je pris soin de mettre une grande différence entre la passion de Bajazet et les tendresses de ses amantes. Il garde au milieu de son amour la férocité[1] de la nation. Et si l'on trouve étrange qu'il consente plutôt de mourir que d'abandonner ce qu'il aime et d'épouser ce qu'il n'aime pas, il ne faut que lire l'histoire des Turcs. On verra partout le mépris qu'ils font de la vie. On verra en plusieurs endroits à quel excès ils portent les passions, et ce que la simple amitié[2] est capable de leur faire faire : témoin un des fils de Soliman, qui se tua lui-même sur le corps de son frère aîné qu'il aimait tendrement et que l'on avait fait mourir pour lui assurer l'empire[3].

---

1. « Férocité » est plutôt à prendre ici dans le sens du latin *ferocitas*, c'est-à-dire de « fierté farouche ».
2. « Amitié » a ici le sens d'affection.
3. Il s'agit de Zeanger ou Giangir (le Bossu), dernier des enfants de Soliman le Magnifique et de Roxelane. L'aîné s'appelait Mustapha.

Soliman le Magnifique.
Gravure anonyme du XVIᵉ siècle (détail).

Personnages

Bajazet, *frère du sultan Amurat.*
Roxane, *sultane, favorite du sultan Amurat.*
Atalide, *fille du sang ottoman.*
Acomat, *grand vizir.*
Osmin, *confident du grand vizir.*
Zatime, *esclave de la sultane.*
Zaïre, *esclave d'Atalide.*

La scène est à Constantinople, autrement dit Byzance, dans le sérail du Grand Seigneur.

Acte premier

SCÈNE PREMIÈRE. ACOMAT, OSMIN.

ACOMAT

Viens, suis-moi. La sultane en ce lieu[1] se doit rendre.
Je pourrai cependant[2] te parler et t'entendre.

OSMIN

Et depuis quand, Seigneur, entre-t-on dans ces lieux
Dont l'accès était même interdit à nos yeux ?
5 Jadis une mort prompte[3] eût suivi cette audace.

ACOMAT

Quand tu seras instruit de tout ce qui se passe,
Mon entrée en ces lieux ne te surprendra plus.
Mais laissons, cher Osmin, les discours superflus.
Que ton retour tardait à mon impatience[4] !
10 Et que d'un œil content[5] je te vois dans Byzance !
Instruis-moi des secrets que peut t'avoir appris
Un voyage si long pour moi seul entrepris.
De ce qu'ont vu tes yeux parle en témoin sincère :
Songe que du récit, Osmin, que tu vas faire
15 Dépendent les destins de l'empire ottoman.
Qu'as-tu vu dans l'armée, et que fait le sultan ?

---

1. *En ce lieu :* le harem, partie du palais strictement réservée aux femmes du sultan.
2. *Cependant :* pendant ce temps.
3. *Prompte :* immédiate.
4. *Que ton retour tardait à mon impatience :* que j'étais impatient de te revoir.
5. *Content :* satisfait.

OSMIN

Babylone, Seigneur, à son prince fidèle,
Voyait sans s'étonner[1] notre armée autour d'elle ;
Les Persans rassemblés marchaient à son secours,
20 Et du camp d'Amurat s'approchaient tous les jours.
Lui-même, fatigué d'un long siège inutile,
Semblait vouloir laisser Babylone tranquille,
Et sans renouveler ses assauts impuissants,
Résolu de combattre, attendait les Persans.
25 Mais, comme vous savez, malgré ma diligence,
Un long chemin sépare et le camp et Byzance ;
Mille obstacles divers m'ont même traversé[2],
Et je puis ignorer tout ce qui s'est passé.

ACOMAT

Que faisaient cependant nos braves janissaires ?
30 Rendent-ils au sultan des hommages sincères ?
Dans le secret des cœurs, Osmin, n'as-tu rien lu ?
Amurat jouit-il d'un pouvoir absolu ?

OSMIN

Amurat est content, si nous le voulons croire,
Et semblait se promettre une heureuse victoire.
35 Mais en vain par ce calme il croit nous éblouir[3] ;
Il affecte[4] un repos dont il ne peut jouir.
C'est en vain que forçant[5] ses soupçons ordinaires,
Il se rend accessible à tous les janissaires :
Il se souvient toujours que son inimitié
40 Voulut de ce grand corps retrancher la moitié,
Lorsque pour affermir sa puissance nouvelle,
Il voulait, disait-il, sortir de leur tutelle.

---

1. *S'étonner* : s'effrayer.
2. *Traversé* : suscité des difficultés.
3. *Éblouir* : tromper.
4. *Affecte* : feint.
5. *Forçant* : surmontant.

Moi-même j'ai souvent entendu leurs discours :
Comme il les craint sans cesse, ils le craignent toujours.
45 Ses caresses[1] n'ont point effacé cette injure[2] ;
Votre absence est pour eux un sujet de murmure[3] :
Ils regrettent le temps, à leur grand cœur si doux,
Lorsqu'assurés de vaincre, ils combattaient sous vous.

ACOMAT

Quoi ! tu crois, cher Osmin, que ma gloire passée
50 Flatte encor leur valeur et vit dans leur pensée ?
Crois-tu qu'ils me suivraient encore avec plaisir,
Et qu'ils reconnaîtraient la voix de leur vizir ?

OSMIN

Le succès[4] du combat réglera leur conduite :
Il faut voir du sultan la victoire ou la fuite.
55 Quoique à regret, Seigneur, ils marchent sous ses lois,
Ils ont à soutenir le bruit[5] de leurs exploits ;
Ils ne trahiront[6] point l'honneur de tant d'années.
Mais enfin le succès dépend des destinées.
Si l'heureux[7] Amurat, secondant[8] leur grand cœur,
60 Aux champs de Babylone est déclaré vainqueur,
Vous les verrez, soumis, rapporter dans Byzance
L'exemple d'une aveugle et basse obéissance ;
Mais si dans le combat le destin plus puissant
Marque de quelque affront[9] son empire naissant,
65 S'il fuit, ne doutez point que, fiers de sa disgrâce[10],

---

1. *Caresses* : démonstrations d'amitié et de bienveillance.
2. *Injure* : injustice, outrage.
3. *Murmure* : mécontentement.
4. *Succès* : issue, résultat.
5. *Bruit* : réputation.
6. *Trahiront* : démentiront.
7. *Heureux* : chanceux, à qui le hasard est favorable.
8. *Secondant* : aidant, favorisant.
9. *Affront* : honte, déshonneur.
10. *Fiers de sa disgrâce* : enhardis par son malheur (l'expression est parfois aussi interprétée comme voulant dire « rendus farouches par son malheur »).

À la haine bientôt ils ne joignent l'audace,
Et n'expliquent, Seigneur, la perte du combat
Comme un arrêt du ciel qui réprouve Amurat.
Cependant, s'il en faut croire la renommée[1],
70 Il a depuis trois mois fait partir de l'armée
Un esclave chargé de quelque ordre secret.
Tout le camp interdit[2] tremblait pour Bajazet :
On craignait qu'Amurat, par un ordre sévère,
N'envoyât demander la tête de son frère.

ACOMAT

75 Tel était son dessein. Cet esclave est venu ;
Il a montré son ordre et n'a rien obtenu.

OSMIN

Quoi, Seigneur ! le sultan reverra son visage,
Sans que de vos respects[3] il lui porte ce gage ?

ACOMAT

Cet esclave n'est plus : un ordre, cher Osmin,
80 L'a fait précipiter dans le fond de l'Euxin[4].

OSMIN

Mais le sultan, surpris d'une trop longue absence,
En cherchera bientôt la cause et la vengeance.
Que lui répondrez-vous ?

ACOMAT

Peut-être avant ce temps
Je saurai l'occuper de soins plus importants.
85 Je sais bien qu'Amurat a juré ma ruine[5] ;

---

1. *Renommée* : rumeur.
2. *Interdit* : troublé.
3. *Vos respects* : votre déférence, votre obéissance.
4. *L'Euxin* : la mer Noire.
5. *A juré ma ruine* : a décidé de me détruire, de me faire périr, ou du moins de me causer un grand dommage.

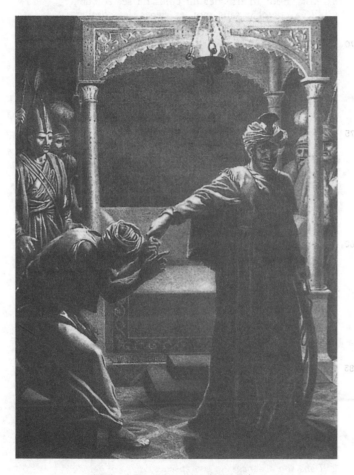

« *Il a depuis trois mois...* » (v. 70-71).
Gravure de R. Massard (1775-1843) d'après une illustration
de F. Gérard (1770-1837). B. N., Paris.

Je sais à son retour l'accueil qu'il me destine.
Tu vois, pour m'arracher du cœur de ses soldats,
Qu'il va chercher sans moi les sièges, les combats.
Il commande l'armée, et moi, dans une ville,
90 Il me laisse exercer un pouvoir inutile.
Quel emploi, quel séjour, Osmin, pour un vizir !
Mais j'ai plus dignement employé ce loisir :
J'ai su lui préparer des craintes et des veilles ;
Et le bruit en ira bientôt à ses oreilles.

OSMIN

95 Quoi donc ? qu'avez-vous fait ?

ACOMAT

J'espère qu'aujourd'hui
Bajazet se déclare[1], et Roxane avec lui.

OSMIN

Quoi ! Roxane, Seigneur, qu'Amurat a choisie
Entre tant de beautés dont l'Europe et l'Asie
Dépeuplent leurs États et remplissent sa cour ?
100 Car on dit qu'elle seule a fixé son amour ;
Et même il a voulu que l'heureuse Roxane,
Avant qu'elle eût un fils, prit le nom de sultane.

ACOMAT

Il a fait plus pour elle, Osmin : il a voulu
Qu'elle eût dans son absence[2] un pouvoir absolu.
105 Tu sais de nos sultans les rigueurs ordinaires :
Le frère rarement laisse jouir ses frères
De l'honneur dangereux d'être sortis d'un sang
Qui les a de trop près approchés de son rang[3].

---

1. *Se déclare :* emploi du subjonctif là où le français moderne utiliserait le futur.
2. *Dans son absence :* en son absence.
3. Égaux par la naissance, les frères du sultan étaient des rivaux en puissance. Aussi la coutume ottomane voulait-elle que le nouveau sultan les fît mourir à son accession au trône.

L'imbécile[1] Ibrahim, sans craindre sa naissance,
110 Traîne[2], exempt de péril[3], une éternelle enfance.
Indigne également de vivre et de mourir,
On l'abandonne aux mains qui daignent le nourrir.
L'autre, trop redoutable, et trop digne d'envie,
Voit sans cesse Amurat armé contre sa vie.
115 Car enfin Bajazet dédaigna de tout temps
La molle oisiveté des enfants des sultans.
Il vint chercher la guerre au sortir de l'enfance,
Et même en fit sous moi la noble expérience.
Toi-même tu l'as vu courir dans les combats,
120 Emportant après lui tous les cœurs des soldats
Et goûter, tout sanglant, le plaisir et la gloire
Que donne aux jeunes cœurs la première victoire.
Mais malgré ses soupçons, le cruel Amurat,
Avant qu'un fils naissant eût rassuré l'État,
125 N'osait sacrifier ce frère à sa vengeance,
Ni du sang ottoman proscrire l'espérance[4].
Ainsi donc pour un temps Amurat désarmé
Laissa dans le sérail Bajazet enfermé.
Il partit, et voulut que, fidèle[5] à sa haine,
130 Et des jours de son frère arbitre souveraine,
Roxane, au moindre bruit, et sans autres raisons,
Le fît sacrifier à ses moindres soupçons.
Pour moi, demeuré seul, une juste colère
Tourna bientôt mes vœux du côté de son frère.
135 J'entretins la sultane, et cachant mon dessein,
Lui montrai d'Amurat le retour incertain,
Les murmures du camp, la fortune des armes[6] ;

---

1. *Imbécile* : faible d'esprit comme de corps.
2. *Traîne* : passe péniblement.
3. *Péril* : danger.
4. N'ayant pas de fils, Amurat ne pouvait faire exécuter Bajazet, qui, descendant comme lui de la dynastie ottomane, était son successeur le plus direct au trône.
5. *Fidèle* : qui ne manque pas à, qui ne trahit pas.
6. *La fortune des armes* : les hasards de la guerre.

Je plaignis Bajazet, je lui vantai ses charmes,
Qui, par un soin jaloux[1] dans l'ombre retenus,
140 Si voisins de ses yeux, leur étaient inconnus.
Que te dirai-je enfin ? la sultane éperdue[2]
N'eut plus d'autre désir que celui de sa vue.

OSMIN

Mais pouvaient-ils tromper tant de jaloux regards
Qui semblent mettre entre eux d'invincibles remparts ?

ACOMAT

145 Peut-être il te souvient qu'un récit peu fidèle
De la mort d'Amurat fit courir la nouvelle.
La sultane, à ce bruit feignant de s'effrayer,
Par des cris douloureux eut soin de l'appuyer.
Sur la foi[3] de ses pleurs ses esclaves tremblèrent ;
150 De l'heureux Bajazet les gardes se troublèrent,
Et les dons achevant d'ébranler leur devoir,
Leurs captifs dans ce trouble osèrent s'entrevoir.
Roxane vit le prince ; elle ne put lui taire
L'ordre dont elle seule était dépositaire.
155 Bajazet est aimable[4] ; il vit que son salut
Dépendait de lui plaire, et bientôt il lui plut.
Tout conspirait pour lui. Ses soins, sa complaisance[5],
Ce secret découvert, et cette intelligence[6],
Soupirs d'autant plus doux qu'il les fallait celer[7],
160 L'embarras irritant de ne s'oser parler,
Même témérité, périls, craintes communes,
Lièrent pour jamais leurs cœurs et leurs fortunes.

---

1. *Jaloux :* se dit de ceux qui possèdent quelque chose qu'ils craignent de perdre.
2. *Éperdue :* ici, folle d'amour.
3. *Sur la foi de :* se fiant à.
4. *Aimable :* digne d'être aimé.
5. *Sa complaisance :* son désir de plaire.
6. *Intelligence :* complicité.
7. *Celer :* cacher.

Ceux mêmes dont les yeux les devaient éclairer[1],
Sortis de leur devoir, n'osèrent y rentrer.

OSMIN

165 Quoi ! Roxane, d'abord[2] leur découvrant son âme,
Osa-t-elle à leurs yeux faire éclater sa flamme ?

ACOMAT

Ils l'ignorent encore ; et jusques à ce jour,
Atalide a prêté son nom à cet amour.
Du père d'Amurat Atalide est la nièce,
170 Et même avec ses fils partageant sa tendresse,
Elle a vu son enfance élevée avec eux.
Du prince en apparence elle reçoit les vœux ;
Mais elle les reçoit pour les rendre à Roxane,
Et veut bien sous son nom qu'il aime la sultane.
175 Cependant, cher Osmin, pour s'appuyer de moi[3],
L'un et l'autre ont promis Atalide à ma foi.

OSMIN

Quoi ! vous l'aimez, Seigneur ?

ACOMAT

               Voudrais-tu qu'à mon âge
Je fisse de l'amour le vil apprentissage ?
Qu'un cœur qu'ont endurci la fatigue et les ans
180 Suivît d'un vain plaisir les conseils imprudents ?
C'est par d'autres attraits qu'elle plaît à ma vue :
J'aime en elle le sang dont elle est descendue.
Par elle Bajazet, en m'approchant de lui[4],
Me va, contre lui-même, assurer un appui.
185 Un vizir aux sultans fait toujours quelque ombrage :
À peine ils l'ont choisi, qu'ils craignent leur ouvrage ;

---

1. *Devaient éclairer* : auraient dû observer, surveiller.
2. *D'abord* : dès le début.
3. *S'appuyer de moi* : avoir mon soutien, mon appui.
4. *En m'approchant de lui* : en me rendant plus proche de lui par des liens familiaux.

Sa dépouille[1] est un bien qu'ils veulent recueillir,
Et jamais leurs chagrins[2] ne nous laissent vieillir.
Bajazet aujourd'hui m'honore et me caresse[3],
190 Ses périls tous les jours réveillent sa tendresse ;
Ce même Bajazet, sur le trône affermi,
Méconnaîtra[4] peut-être un inutile ami.
Et moi, si mon devoir, si ma foi ne l'arrête,
S'il ose quelque jour me demander ma tête...
195 Je ne m'explique point, Osmin, mais je prétends
Que du moins il faudra la demander longtemps.
Je sais rendre aux sultans de fidèles services,
Mais je laisse au vulgaire adorer leurs caprices,
Et ne me pique point du scrupule insensé
200 De bénir mon trépas quand ils l'ont prononcé[5].
Voilà donc de ces lieux ce qui m'ouvre l'entrée,
Et comme enfin Roxane à mes yeux s'est montrée.
Invisible d'abord elle entendait ma voix,
Et craignait du sérail les rigoureuses lois ;
205 Mais enfin bannissant cette importune crainte,
Qui dans nos entretiens jetait trop de contrainte,
Elle-même a choisi cet endroit écarté,
Où nos cœurs à nos yeux parlent en liberté.
Par un chemin obscur une esclave me guide,
210 Et... Mais on vient. C'est elle, et sa chère Atalide.
Demeure ; et s'il le faut, sois prêt à confirmer
Le récit important dont je vais l'informer.

---

1. *Sa dépouille :* ses biens, sa fortune, sa succession, tout ce dont ils s'emparent après sa mort.
2. *Chagrins :* inquiétudes.
3. *Me caresse :* me manifeste son amitié.
4. *Méconnaîtra :* désavouera.
5. *Prononcé :* décidé, ordonné.

Acte I Scène 1

L'EXPOSITION : UNE SITUATION COMPLEXE

1. Cette exposition est l'une des plus longues du théâtre de Racine. La complexité de la situation suffit-elle à expliquer cette longueur ? Détaillez les divers éléments qui composent cette exposition : annonce des principaux personnages, du lieu, de l'intrigue...

2. L'exposé des faits vous semble-t-il naturel ? Comment est-il amené ? Comment les passages d'un interlocuteur à l'autre s'enchaînent-ils ? Quel est le mouvement général de la scène ?

3. Montrez comment, poussé par le vizir, Osmin passe de la simple narration des faits à leur appréciation (v. 17 à 74).

4. Sur quelle double hypothèse repose le plan d'Acomat (v. 53 à 68) ? Quelles sont les raisons personnelles qui ont poussé Acomat à comploter contre le sultan (v. 83 à 94) ?

5. En quoi consiste le plan d'Acomat (v. 96 à 176) ? Dans quel ordre présente-t-il les faits et les divers personnages de la pièce ? Cet ordre est-il significatif ? Pourquoi ?

ACOMAT ET SON CONFIDENT

6. Osmin paraît être l'homme de confiance d'Acomat, son confident. Quel rôle joue-t-il dans cette scène ?

7. Qu'apprend-on du caractère d'Acomat ? Comment se décrit-il lui-même (v. 177 à 200) ? Sur quel ton s'adresse-t-il à Osmin ? Relevez dans ses paroles les termes qui prouvent sa certitude de maîtriser la situation.

L'ATMOSPHÈRE TURQUE

8. Dans quel lieu se déroule l'action ? Quelle atmosphère particulière est créée par les vers 4 et 5 ?

9. À quoi vous paraît tenir le fatalisme « oriental » d'Osmin (v. 58 et 73) ?

10. Montrez, en relevant les éléments de la couleur locale, comment Racine brosse ici un tableau allusif mais complet de la vie turque.

SCÈNE 2. ROXANE, ATALIDE, ACOMAT, OSMIN, ZATIME, ZAÏRE.

ACOMAT

La vérité s'accorde avec la renommée,
Madame. Osmin a vu le sultan et l'armée.
215 Le superbe[1] Amurat est toujours inquiet :
Et toujours tous les cœurs penchent vers Bajazet :
D'une commune voix ils l'appellent au trône.
Cependant les Persans marchaient vers Babylone,
Et bientôt les deux camps au pied de son rempart
220 Devaient de la bataille éprouver le hasard.
Ce combat doit, dit-on, fixer nos destinées ;
Et même, si d'Osmin je compte les journées[2],
Le ciel en a déjà réglé l'événement[3],
Et le sultan triomphe ou fuit en ce moment.
225 Déclarons-nous, Madame, et rompons le silence :
Fermons-lui dès ce jour les portes de Byzance ;
Et sans nous informer s'il triomphe ou s'il fuit,
Croyez-moi, hâtons-nous d'en prévenir le bruit[4].
S'il fuit, que craignez-vous ? s'il triomphe, au contraire,
230 Le conseil[5] le plus prompt est le plus salutaire.
Vous voudrez, mais trop tard, soustraire à son pouvoir
Un peuple dans ses murs prêt à le recevoir.
Pour moi, j'ai su déjà par mes brigues[6] secrètes
Gagner de notre loi les sacrés interprètes[7] :
235 Je sais combien, crédule en sa dévotion,

---

1. *Superbe* : orgueilleux.
2. *Journées* : étapes.
3. *Événement* : issue, résultat.
4. *Le bruit* : la nouvelle.
5. *Le conseil* : la décision, la résolution.
6. *Brigues* : intrigues.
7. *Les sacrés interprètes* : les dignitaires religieux, le mufti et les ulémas.

Le peuple suit le frein de la religion.
Souffrez que Bajazet voie enfin la lumière :
Des murs de ce palais ouvrez-lui la barrière ;
Déployez en son nom cet étendard fatal[1],
240 Des extrêmes périls l'ordinaire signal.
Les peuples, prévenus[2] de ce nom favorable[3],
Savent que sa vertu[4] le rend seule coupable.
D'ailleurs un bruit confus, par mes soins confirmé,
Fait croire heureusement à ce peuple alarmé
245 Qu'Amurat le dédaigne, et veut loin de Byzance
Transporter désormais son trône et sa présence.
Déclarons le péril dont son frère est pressé[5] ;
Montrons l'ordre cruel qui vous fut adressé.
Surtout qu'il se déclare et se montre lui-même,
250 Et fasse voir ce front digne du diadème.

ROXANE

Il suffit. Je tiendrai tout ce que j'ai promis.
Allez, brave[6] Acomat, assembler vos amis.
De tous leurs sentiments venez me rendre compte ;
Je vous rendrai moi-même une réponse prompte.
255 Je verrai Bajazet. Je ne puis dire rien,
Sans savoir si son cœur s'accorde avec le mien.
Allez, et revenez.

---

1. *Cet étendard fatal :* l'étendard sacré du prophète Mahomet que l'on déployait pour signaler tout grave danger.
2. *Prévenus de :* bien disposés envers.
3. *Favorable :* qui attire la faveur.
4. *Vertu :* au sens italien de *virtù*, c'est-à-dire d'ensemble de qualités morales et physiques, en particulier le courage et la valeur.
5. *Pressé :* menacé.
6. *Brave :* courageux.

Acte I Scène 2

LE RAPPORT D'ACOMAT

1. Le rapport d'Acomat à Roxane correspond-il exactement à ce qu'Osmin vient de dire ? En quoi diffère-t-il ? Quels détails passe-t-il notamment sous silence (v. 55 à 62) ?

2. Comment Acomat cherche-t-il à faire pression sur Roxane ? Sur quoi insiste-t-il tout particulièrement ?

3. Quelle(s) objection(s) de Roxane prévient-il dans les vers 225 à 236 ? En quoi est-ce habile de sa part ? Quelle conception du politique révèlent ces paroles ?

4. Quelles sont les différentes phases du coup d'État prévu par Acomat ?

5. Quels éléments montrent la hâte d'Acomat dans son discours ? Comparez notamment les temps et les modes auxquels il a recours avec ceux utilisés par Roxane dans sa réponse. Qu'en concluez-vous ?

L'ENTRÉE DE ROXANE

6. Dans quelle mesure Roxane est-elle tout de suite caractérisée par son comportement ? La description de son caractère par Acomat le laissait-elle entendre ? Que cache en fait son ton autoritaire ?

7. Sur quels motifs se fonde son hésitation à faire ce que lui demande Acomat (v. 251 à 257) ? Le vizir les avait-il prévus ? De quelle condition fait-elle maintenant dépendre sa participation active au complot ? En quoi cela contredit-il le début de sa réponse ?

8. En quoi son attitude constitue-t-elle un premier obstacle au plan d'Acomat ? Est-ce à proprement parler un coup de théâtre ? Pourquoi ?

9. Quelles sont maintenant les intentions de Roxane ? Sur quel plan son action va-t-elle se situer ?

SCÈNE 3.   ROXANE, ATALIDE, ZATIME, ZAÏRE.

ROXANE

Enfin, belle Atalide,
Il faut de nos destins que Bajazet décide.
Pour la dernière fois je le vais consulter[1].
260 Je vais savoir s'il m'aime.

ATALIDE

Est-il temps d'en douter,
Madame ? Hâtez-vous d'achever votre ouvrage.
Vous avez du vizir entendu le langage ;
Bajazet vous est cher. Savez-vous si demain
Sa liberté, ses jours, seront en votre main[2] ?
265 Peut-être en ce moment Amurat en furie
S'approche pour trancher une si belle vie.
Et pourquoi de son cœur doutez-vous aujourd'hui ?

ROXANE

Mais m'en répondez-vous[3], vous qui parlez pour lui ?

ATALIDE

Quoi, Madame ! les soins qu'il a pris pour vous plaire,
270 Ce que vous avez fait, ce que vous pouvez faire,
Ses périls, ses respects[4], et surtout vos appas[5],
Tout cela de son cœur ne vous répond-il pas ?
Croyez que vos bontés vivent dans sa mémoire.

ROXANE

Hélas ! pour mon repos que ne le puis-je croire ?

---

1. *Je le vais consulter* : je vais le consulter (au XVIIᵉ siècle, le pronom personnel peut se placer avant ou après le verbe régissant un infinitif).
2. *En votre main* : en votre pouvoir.
3. *M'en répondez-vous* : m'en assurez-vous, vous en portez-vous garante.
4. *Respects* : témoignages de respect, par la parole ou par les actes.
5. *Appas* : attraits, charmes (langage galant).

275 Pourquoi faut-il au moins que, pour me consoler,
L'ingrat ne parle pas comme on le fait parler ?
Vingt fois, sur vos discours pleine de confiance,
Du trouble de son cœur jouissant par avance,
Moi-même j'ai voulu m'assurer de sa foi,
280 Et l'ai fait en secret amener devant moi.
Peut-être trop d'amour me rend trop difficile ;
Mais, sans vous fatiguer d'un récit inutile,
Je ne retrouvais point ce trouble, cette ardeur,
Que m'avait tant promis un discours trop flatteur.
285 Enfin, si je lui donne et la vie et l'empire,
Ces gages incertains ne me peuvent suffire.

ATALIDE

Quoi donc ? à son amour qu'allez-vous proposer ?

ROXANE

S'il m'aime, dès ce jour il me doit épouser.

ATALIDE

Vous épouser ! Ô ciel ! que prétendez-vous faire ?

ROXANE

290 Je sais que des sultans l'usage m'est contraire ;
Je sais qu'ils se sont fait une superbe loi
De ne point à l'hymen[1] assujettir leur foi.
Parmi tant de beautés qui briguent[2] leur tendresse,
Ils daignent quelquefois choisir une maîtresse ;
295 Mais toujours inquiète avec[3] tous ses appas,
Esclave, elle reçoit son maître dans ses bras ;
Et, sans sortir du joug où[4] leur loi la condamne,
Il faut qu'un fils naissant la déclare sultane.
Amurat, plus ardent, et seul jusqu'à ce jour,
300 A voulu que l'on dût ce titre à son amour.

---

1. *Hymen* : mariage.
2. *Briguent* : recherchent, cherchent à obtenir.
3. *Avec* : ici, malgré.
4. *Où* : auquel.

J'en reçus la puissance aussi bien que le titre,
Et des jours de son frère il me laissa l'arbitre.
Mais ce même Amurat ne me promit jamais
Que l'hymen dût un jour couronner ses bienfaits.
305 Et moi, qui n'aspirais qu'à cette seule gloire,
De ses autres bienfaits j'ai perdu la mémoire.
Toutefois, que sert-il de me justifier ¿
Bajazet, il est vrai, m'a tout fait oublier.
Malgré tous ses malheurs, plus heureux que son frère,
310 Il m'a plu, sans peut-être aspirer à me plaire.
Femmes[1], gardes, vizir, pour lui j'ai tout séduit[2] ;
En un mot, vous voyez jusqu'où je l'ai conduit.
Grâce à mon amour, je me suis bien servie
Du pouvoir qu'Amurat me donna sur sa vie.
315 Bajazet touche presque au trône des sultans :
Il ne faut plus qu'un pas; mais c'est où je l'attends.
Malgré tout mon amour, si, dans cette journée,
Il ne m'attache à lui par un juste[3] hyménée[4],
S'il ose m'alléguer une odieuse loi,
320 Quand je fais tout pour lui, s'il ne fait tout pour moi,
Dès le même moment, sans songer si je l'aime,
Sans consulter[5] enfin si je me perds moi-même,
J'abandonne l'ingrat, et le laisse rentrer
Dans l'état malheureux d'où je l'ai su tirer[6].
325 Voilà sur quoi je veux que Bajazet prononce.
Sa perte ou son salut dépend de sa réponse.
Je ne vous presse point de vouloir aujourd'hui
Me prêter votre voix pour m'expliquer à lui[7] :

---

1. *Femmes* : mes femmes, mes esclaves.
2. *Séduit* : détourné du droit chemin.
3. *Juste* : légitime.
4. *Hyménée* : mariage.
5. *Sans consulter* : sans réfléchir, sans me demander.
6. *Je l'ai su tirer* : j'ai su le tirer.
7. *M'expliquer à lui* : cette expression n'a pas le sens de s'expliquer avec quelqu'un, mais celui de faire connaître, de dire sa pensée, ses intentions.

Je veux que, devant moi, sa bouche et son visage
330 Me découvrent son cœur sans me laisser d'ombrage[1],
Que lui-même, en secret amené dans ces lieux,
Sans être préparé se présente à mes yeux.
Adieu. Vous saurez tout après cette entrevue.

---

1. *Sans me laisser d'ombrage* : sans m'en rien cacher.

Acte I Scène 3

LE NŒUD DE L'ACTION : LE « MARCHÉ » DE ROXANE

1. Quelle alternative Roxane va-t-elle placer devant Bajazet (v. 274 à 288) ? Pourquoi se résout-elle à cette démarche ? Est-ce la seule raison ? Pourquoi s'y résout-elle précisément maintenant ?

2. Roxane ne se croit-elle pas maîtresse de la situation ? Sous quel jour nouveau présente-t-elle le plan d'Acomat (v. 309 à 314) ?

ORGUEIL ET ÉGOÏSME

3. Étudiez le mouvement de la tirade de Roxane (v. 290 à 333). Quelles sont les diverses passions qui l'agitent ?

4. À quoi attribuez-vous son sentiment d'humiliation (v. 290 à 298) ? Analysez le vocabulaire et les procédés stylistiques utilisés pour le dire.

5. Quels sont à présent les sentiments de Roxane pour Amurat (v. 299 à 306) ?

6. Montrez comment l'agressivité est chez Roxane inséparable de la passion amoureuse (v. 315 à 324).

LE DOUBLE JEU D'ATALIDE

7. Le personnage d'Atalide répond-il à l'idée que le spectateur s'en est fait à la scène 1 ? Quel rôle joue-t-elle ici ?

8. Quels sont les arguments utilisés par Atalide pour convaincre Roxane ? À quels sentiments de celle-ci fait-elle appel ?

9. Comment évite-t-elle de répondre directement à la question de Roxane (v. 269 à 273) ? De quels termes volontairement ambigus se sert-elle ?

10. Que peut révéler cette attitude ? Roxane se doute-t-elle de quelque chose ? À quoi le voyez-vous ?

SCÈNE 4. ATALIDE, ZAÏRE.

ATALIDE

Zaïre, c'en est fait, Atalide est perdue !

ZAÏRE

335 Vous ?

ATALIDE

Je prévois déjà tout ce qu'il faut prévoir.
Mon unique espérance est dans mon désespoir[1].

ZAÏRE

Mais, Madame, pourquoi ?

ATALIDE

Si tu venais d'entendre
Quel funeste dessein Roxane vient de prendre,
Quelles conditions elle veut imposer !
340 Bajazet doit périr, dit-elle, ou l'épouser.
S'il se rend, que deviens-je en ce malheur extrême ?
Et s'il ne se rend pas, que devient-il lui-même ?

ZAÏRE

Je conçois[2] ce malheur. Mais, à ne point mentir,
Votre amour dès longtemps a dû[3] le pressentir.

ATALIDE

345 Ah, Zaïre ! l'amour a-t-il tant de prudence[4] ?
Tout semblait avec nous être d'intelligence[5] :
Roxane, se livrant tout entière à ma foi,

---

1. La réalisation du seul espoir qu'a Atalide, c'est-à-dire que Bajazet
se sauve en épousant Roxane, causerait en même temps son désespoir,
car alors Bajazet ne pourrait plus être à elle.
2. *Conçois* : comprends.
3. *A dû* : aurait dû.
4. *Prudence* : sagesse, prévoyance.
5. *Être d'intelligence* : s'accorder avec nos desseins.

Du cœur de Bajazet se reposait sur moi,
M'abandonnait le soin de tout ce qui le touche,
350 Le voyait par mes yeux, lui parlait par ma bouche ;
Et je croyais toucher au bienheureux moment,
Où j'allais par ses mains couronner mon amant.
Le ciel s'est déclaré contre mon artifice.
Et que fallait-il donc, Zaïre, que je fisse ?
355 À l'erreur de Roxane ai-je dû[1] m'opposer,
Et perdre[2] mon amant pour la désabuser ?
Avant que dans son cœur cette amour[3] fût formée,
J'aimais, et je pouvais m'assurer d'être aimée.
Dès nos plus jeunes ans, tu t'en souviens assez,
360 L'amour serra les nœuds par le sang commencés.
Élevée avec lui dans le sein de sa mère,
J'appris à distinguer Bajazet de son frère ;
Elle-même avec joie unit nos volontés.
Et, quoique après sa mort l'un de l'autre écartés,
365 Conservant, sans nous voir, le désir de nous plaire,
Nous avons su toujours nous aimer et nous taire.
Roxane, qui depuis, loin de s'en défier[4],
À ses desseins secrets voulut m'associer,
Ne put voir sans amour ce héros trop aimable :
370 Elle courut lui tendre une main favorable.
Bajazet étonné rendit grâce à ses soins,
Lui rendit des respects. Pouvait-il faire moins ?
Mais qu'aisément l'amour croit tout ce qu'il souhaite !
De ses moindres respects Roxane satisfaite
375 Nous engagea[5] tous deux, par sa facilité[6],
À la laisser jouir de sa crédulité.

---

1. *Ai-je dû :* aurais-je dû.
2. *Perdre :* causer la perte de.
3. *Cette amour :* au XVIIᵉ siècle, amour est indifféremment masculin ou féminin.
4. *S'en défier :* « en » renvoie aux infinitifs « aimer » et « taire ».
5. *Engagea :* força, contraignit.
6. *Facilité :* facilité d'esprit, faiblesse.

69

Zaïre, il faut pourtant avouer ma faiblesse :
D'un mouvement jaloux je ne fus pas maîtresse.
Ma rivale, accablant mon amant de bienfaits,
380 Opposait un empire à mes faibles attraits ;
Mille soins la rendaient présente à sa mémoire ;
Elle l'entretenait de sa prochaine gloire.
Et moi, je ne puis rien. Mon cœur, pour tous discours,
N'avait que des soupirs qu'il répétait toujours.
385 Le ciel seul sait combien j'en ai versé de larmes[1].
Mais enfin Bajazet dissipa mes alarmes ;
Je condamnai mes pleurs, et jusques aujourd'hui
Je l'ai pressé de feindre, et j'ai parlé pour lui.
Hélas ! tout est fini : Roxane méprisée[2]
390 Bientôt de son erreur sera désabusée.
Car enfin Bajazet ne sait point se cacher.
Je connais sa vertu[3] prompte à s'effaroucher[4].
Il faut qu'à tous moments, tremblante et secourable,
Je donne à ses discours un sens plus favorable.
395 Bajazet va se perdre. Ah ! si, comme autrefois,
Ma rivale eût voulu lui parler par ma voix !
Au moins, si j'avais pu préparer son visage !
Mais, Zaïre, je puis l'attendre à son passage ;
D'un mot ou d'un regard je puis le secourir.
400 Qu'il l'épouse, en un mot, plutôt que de périr.
Si Roxane le veut, sans doute[5] il faut qu'il meure.
Il se perdra, te dis-je. Atalide, demeure ;
Laisse, sans t'alarmer, ton amant sur sa foi[6].
Penses-tu mériter qu'on se perde pour toi ?

---

1. *J'en ai versé de larmes* : « en » renvoie à l'impuissance d'Atalide exprimée au vers 383.
2. *Méprisée* : ici, au sens de qui n'est pas aimée.
3. *Vertu* : droiture, conscience morale.
4. *S'effaroucher* : littéralement, être rendue farouche.
5. *Sans doute* : sans nul doute, certainement.
6. *Laisse... ton amant sur sa foi* : laisse-le agir seul en lui faisant confiance.

405 Peut-être Bajazet, secondant[1] ton envie,
Plus que tu ne voudras aura soin de sa vie.

ZAÏRE

Ah ! dans quels soins, Madame, allez-vous vous plonger ?
Toujours avant le temps faut-il vous affliger ?
Vous n'en pouvez douter, Bajazet vous adore.
410 Suspendez ou cachez l'ennui[2] qui vous dévore ;
N'allez point par vos pleurs déclarer vos amours.
La main qui l'a sauvé le sauvera toujours,
Pourvu qu'entretenue en son erreur fatale[3],
Roxane jusqu'au bout ignore sa rivale.
415 Venez en d'autres lieux enfermer vos regrets,
Et de leur entrevue attendre le succès.

ATALIDE

Eh bien ! Zaïre, allons. Et toi, si ta justice
De deux jeunes amants veut punir l'artifice,
Ô ciel, si notre amour est condamné de toi,
420 Je suis la plus coupable : épuise tout sur moi !

---

1. *Secondant* : égalant.
2. *Ennui* : tourment.
3. *Fatale* : voulue par le destin.

Acte I Scène 4

UNE SECONDE EXPOSITION :
LE POINT DE VUE D'ATALIDE

1. Montrez en quoi cette scène complète la présentation des faits commencée à la scène 1 ? Qu'apporte-t-elle de nouveau ? Quels aspects de l'exposé d'Acomat contredit-elle ? Sous quel jour fait-elle apparaître les déclarations de Roxane à la scène 3 ?

2. Comment Racine s'y prend-il pour rendre vraisemblables les révélations d'Atalide à Zaïre ? Quelle est la justification psychologique de la longue tirade d'Atalide (v. 345 à 406) ?

3. Cette tirade ne sert-elle qu'à communiquer des renseignements au spectateur ? Quel est son principal intérêt ?

4. Étudiez la composition de la tirade d'Atalide. Quels en sont les grands moments ? À quoi correspondent-ils ? Comment se marque l'articulation du discours ?

LE PATHÉTIQUE DE L'AMOUR

5. Quelle image d'elle-même Atalide donne-t-elle dans cette scène ? Quel est le trait dominant de sa personnalité ?

6. D'où vient son désespoir (v. 337 à 342) ? En quoi le dilemme auquel elle se plie est-il particulièrement tragique ?

7. Qui est responsable de la situation présente, les personnages eux-mêmes ou la fatalité ? Comment Atalide essaie-t-elle de se justifier ?

8. En quoi le sentiment qui unit Atalide à Bajazet (v. 357 à 366) s'oppose-t-il à l'amour de Roxane pour Bajazet ? À quel autre couple du théâtre racinien vous fait-il penser ?

9. Qu'est-ce que les révélations d'Atalide vous apprennent du caractère de Roxane ? Quels sentiments éprouve-t-elle à l'égard de la sultane ?

10. Pourquoi Atalide se reproche-t-elle d'être jalouse ? Que craint-elle ? La fin de la scène justifie-t-elle cette crainte ?

Ensemble de l'acte I

LE « ROMAN » DU SÉRAIL

1. Dans quelle situation les quatre principaux protagonistes se trouvent-ils maintenant engagés ? Comment en sont-ils arrivés là ? Qui vous en paraît responsable ? Faites la part du jeu des passions et de la fatalité dans l'enchaînement des faits.

2. Sur quel(s) malentendu(s) repose l'accord des conjurés ? Que laissent-ils craindre ?

3. Étudiez la construction de l'exposition et dégagez-en les diverses phases. Montrez comment les trois exposés de la situation (par Acomat, par Roxane et par Atalide) donnent en fait trois points de vue différents, sinon contradictoires.

4. Quelle impression Racine cherche-t-il à produire sur le spectateur par ce procédé ? Sous quel jour nouveau se présente alors la révolution de palais préparée par Acomat ?

LES PERSONNAGES

5. Bajazet, que le spectateur ne connaît pas encore, est décrit successivement par Acomat (sc. 1), par Roxane (sc. 3) et par Atalide (sc. 4). Comparez ces trois portraits.

6. Acomat a été décrit comme « le type même d'une certaine espèce d'homme politique, et, en même temps, un Turc fort vraisemblable ». Ce jugement vous paraît-il justifié ?

7. Dans quelle mesure peut-on dire que Roxane et Atalide incarnent ici deux conceptions différentes de l'amour ?

LA COULEUR LOCALE

8. Quelle est la situation de l'Empire turc telle qu'elle est évoquée par Racine ? Correspond-elle au jugement porté par les historiens contemporains ?

9. Quels détails des mœurs du sérail vous paraissent invraisemblables, mais nécessaires à l'action ? Comment Racine pare-t-il à cette critique ?

10. La couleur locale réside-t-elle uniquement dans ce tableau historique ? À quoi tient-elle également ?

Silvia Monfort (Roxane) et Marc Zammit (Bajazet).
Mise en scène de Dominique Delouche.
Carré Silvia Monfort, 1985.

Acte II

SCÈNE PREMIÈRE. BAJAZET, ROXANE

ROXANE

Prince, l'heure fatale est enfin arrivée
Qu'à votre liberté[1] le ciel a réservée.
Rien ne me retient plus, et je puis, dès ce jour,
Accomplir le dessein qu'a formé mon amour.
425 Non que, vous assurant d'un triomphe facile,
Je mette entre vos mains un empire[2] tranquille ;
Je fais ce que je puis, je vous l'avais promis :
J'arme votre valeur contre vos ennemis,
J'écarte de vos jours un péril manifeste ;
430 Votre vertu[3], Seigneur, achèvera le reste.
Osmin a vu l'armée : elle penche pour vous ;
Les chefs de notre loi[4] conspirent avec nous ;
Le vizir Acomat vous répond de Byzance ;
Et moi, vous le savez, je tiens sous ma puissance
435 Cette foule de chefs, d'esclaves, de muets,
Peuple que dans ses murs renferme ce palais,
Et dont à ma faveur les âmes asservies[5]
M'ont vendu dès longtemps leur silence et leurs vies.
Commencez maintenant. C'est à vous de courir
440 Dans le champ glorieux que j'ai su vous ouvrir.
Vous n'entreprenez point une injuste[6] carrière[7] ;

---

1. *À votre liberté* : pour votre liberté.
2. *Empire* : pouvoir absolu.
3. *Vertu* : à la fois bon droit et courage militaire.
4. *Loi* : au sens religieux ici.
5. *Asservies* : assujetties à, dépendant servilement de.
6. *Injuste* : contraire au droit.
7. *Carrière* : le mot désigne ici la piste, le lieu où se déroulaient les courses de chevaux, et continue l'image spatiale commencée avec « champ ».

Vous repoussez, Seigneur, une main meurtrière :
L'exemple en est commun[1], et parmi les sultans,
Ce chemin à l'empire a conduit de tout temps.
445 Mais pour mieux commencer, hâtons-nous l'un et l'autre
D'assurer à la fois mon bonheur et le vôtre.
Montrez à l'univers, en m'attachant à vous,
Que, quand je vous servais, je servais mon époux ;
Et par le nœud sacré d'un heureux hyménée,
450 Justifiez la foi que je vous ai donnée.

BAJAZET

Ah ! que proposez-vous, Madame ?

ROXANE

Hé quoi, Seigneur ?
Quel obstacle secret trouble notre bonheur ?

BAJAZET

Madame, ignorez-vous que l'orgueil de l'empire...
Que ne m'épargnez-vous la douleur de le dire ?

ROXANE

455 Oui, je sais que depuis qu'un de vos empereurs[2],
Bajazet, d'un barbare éprouvant les fureurs,
Vit au char du vainqueur son épouse enchaînée,
Et par toute l'Asie à sa suite traînée,
De l'honneur ottoman ses successeurs jaloux
460 Ont daigné rarement prendre le nom d'époux.
Mais l'amour ne suit point ces lois imaginaires ;
Et sans vous rapporter des exemples vulgaires,
Soliman (vous savez qu'entre tous vos aïeux,
Dont l'univers a craint le bras victorieux,
465 Nul n'éleva si haut la grandeur ottomane),
Ce Soliman jeta les yeux sur Roxelane.
Malgré tout son orgueil, ce monarque si fier,

---

1. *Commun* : ordinaire.
2. Il s'agit de Bajazet Iᵉʳ, qui fut fait prisonnier avec sa femme par le conquérant mongol Tamerlan après la bataille d'Ancyre, en 1402.

À son trône, à son lit daigna l'associer[1],
Sans qu'elle eût d'autres droits au rang d'impératrice
470 Qu'un peu d'attraits peut-être, et beaucoup d'artifice.

BAJAZET

Il est vrai. Mais aussi voyez ce que je puis,
Ce qu'était Soliman, et le peu que je suis.
Soliman jouissait d'une pleine puissance :
L'Égypte ramenée à son obéissance,
475 Rhodes, des Ottomans ce redoutable écueil,
De tous ses défenseurs devenu le cercueil,
Du Danube asservi les rives désolées[2],
De l'empire persan les bornes reculées,
Dans leurs climats[3] brûlants les Africains domptés,
480 Faisaient taire les lois devant ses volontés[4].
Que suis-je ? J'attends tout du peuple et de l'armée.
Mes malheurs font encor toute ma renommée.
Infortuné, proscrit[5], incertain de régner,
Dois-je irriter les cœurs au lieu de les gagner ?
485 Témoins de nos plaisirs, plaindront-ils nos misères ?
Croiront-ils mes périls et vos larmes sincères[6] ?
Songez, sans me flatter du sort de Soliman[7],
Au meurtre tout récent du malheureux Osman :

---

1. *Associer* : rime pour l'œil uniquement, aujourd'hui. Mais, au xviiᵉ siècle, le « r » de l'infinitif se prononçait.
2. *Désolées* : ravagées.
3. *Climats* : pays, contrées.
4. *Ses volontés* : celles de Soliman.
5. *Proscrit* : condamné à mort.
6. *Sincères* : véritables, non feintes (l'adjectif porte à la fois sur « périls » et sur « larmes »).
7. *Me flatter du sort de Soliman* : me comparer avantageusement avec Soliman, me faire croire que j'ai le sort de Soliman. Il s'agit ici, comme dans les vers précédents, de Soliman II, dit « le Magnifique », sultan de 1520 à 1566. L'Osman dont il est question dans le vers suivant renvoie à Othman II, le propre frère d'Amurat et de Bajazet, qui fut assassiné par les janissaires en 1622.

Dans leur rébellion, les chefs des janissaires,
490 Cherchant à colorer[1] leurs desseins sanguinaires,
Se crurent à sa perte assez autorisés
Par le fatal[2] hymen que vous me proposez.
Que vous dirai-je enfin ? Maître de leur suffrage[3],
Peut-être avec le temps j'oserai davantage.
495 Ne précipitons rien ; et daignez commencer
À me mettre en état de vous récompenser[4].

ROXANE

Je vous entends[5], Seigneur. Je vois mon imprudence ;
Je vois que rien n'échappe à votre prévoyance ;
Vous avez pressenti jusqu'au moindre danger
500 Où[6] mon amour trop prompt vous allait engager.
Pour vous, pour votre honneur, vous en craignez les suites,
Et je le crois, Seigneur, puisque vous me le dites.
Mais avez-vous prévu, si vous ne m'épousez,
Les périls plus certains où[7] vous vous exposez ?
505 Songez-vous que sans moi tout vous devient contraire[8],
Que c'est à moi surtout qu'il importe de plaire ?
Songez-vous que je tiens les portes du palais,
Que je puis vous l'ouvrir ou fermer pour jamais,
Que j'ai sur votre vie un empire suprême,
510 Que vous ne respirez qu'autant que je vous aime ?
Et sans ce même amour, qu'offensent vos refus,
Songez-vous, en un mot, que vous ne seriez plus ?

---

1. *Colorer* : couvrir de faux prétextes.
2. *Fatal* : qui entraîne la mort.
3. *Maître de leur suffrage* : ayant leur approbation générale.
4. *Vous récompenser* : vous donner quelque chose en retour (le terme a ici un sens positif, mais, au XVIIe siècle, il peut également prendre un sens négatif).
5. *Entends* : comprends.
6. *Où* : auquel.
7. *Où* : auxquels.
8. *Contraire* : nuisible, hostile.

BAJAZET

Oui, je tiens tout de vous ; et j'avais lieu de croire
Que c'était pour vous-même une assez grande gloire,
515 En voyant devant moi tout l'empire à genoux,
De m'entendre avouer que je tiens tout de vous.
Je ne m'en défends point[1], ma bouche le confesse,
Et mon respect saura le confirmer sans cesse :
Je vous dois tout mon sang ; ma vie est votre bien.
520 Mais enfin voulez-vous...

ROXANE

Non, je ne veux plus rien.
Ne m'importune plus de tes raisons forcées[2].
Je vois combien tes vœux sont loin de mes pensées.
Je ne te presse plus, ingrat, d'y[3] consentir ;
Rentre dans le néant dont[4] je t'ai fait sortir.
525 Car enfin qui[5] m'arrête ? et quelle autre assurance
Demanderais-je encor de son indifférence[6] ?
L'ingrat est-il touché de mes empressements[7] ?
L'amour même entre-t-il dans ses raisonnements ?
Ah ! je vois tes desseins. Tu crois, quoi que je fasse,
530 Que mes propres périls t'assurent de ta grâce,
Qu'engagée avec toi par de si forts liens[8],
Je ne puis séparer tes intérêts des miens.
Mais je m'assure[9] encore aux bontés de ton frère :
Il m'aime, tu le sais ; et malgré sa colère,
535 Dans ton perfide sang je puis tout expier,
Et ta mort suffira pour me justifier.

---

1. *Je ne m'en défends point* : je ne le nie point.
2. *Forcées* : qui manquent de sincérité.
3. « Y » renvoie à la proposition de Roxane.
4. *Dont* : d'où.
5. *Qui* : qu'est-ce qui.
6. *Son indifférence* : celle de Bajazet.
7. *Empressements* : témoignages d'ardeur, d'affection et de diligence.
8. *Liens* : prononcer li-ens.
9. *Je m'assure* : je compte sur, je me fie aux.

N'en doute point, j'y[1] cours, et dès ce moment même...
Bajazet, écoutez : je sens que je vous aime ;
Vous vous perdez. Gardez de[2] me laisser sortir ;
540 Le chemin est encore ouvert au repentir.
Ne désespérez point une amante en furie ;
S'il m'échappait un mot, c'est fait[3] de votre vie.

BAJAZET

Vous pouvez me l'ôter, elle est entre vos mains ;
Peut-être que ma mort, utile à vos desseins,
545 De l'heureux Amurat obtenant votre grâce,
Vous rendra dans son cœur votre première place[4].

ROXANE

Dans son cœur ? Ah ! crois-tu, quand il le voudrait bien[5],
Que, si je perds l'espoir de régner dans le tien,
D'une si douce erreur si longtemps possédée[6],
550 Je puisse désormais souffrir une autre idée,
Ni que je vive enfin, si je ne vis pour toi ?
Je te donne, cruel, des armes contre moi,
Sans doute, et je devrais retenir ma faiblesse :
Tu vas en triompher. Oui, je te le confesse,
555 J'affectais à tes yeux une fausse fierté[7].
De toi dépend[8] ma joie et ma félicité ;
De ma sanglante mort ta mort sera suivie.
Quel fruit de tant de soins que j'ai pris pour ta vie !

---

1. « Y » renvoie à « ta mort ».
2. *Gardez de* : évitez de.
3. On attendrait ici un conditionnel, mais l'indicatif permet d'insister sur la réalité du fait ; il présente le procès (le processus) comme accompli.
4. *Votre première place* : la place que vous y occupiez auparavant.
5. *Quand il le voudrait bien* : même s'il le voulait bien.
6. *Possédée* : sous l'emprise de.
7. *Fierté* : cruauté.
8. *Dépend* : dépendent (en français classique, l'accord du verbe peut se faire avec le sujet le plus rapproché).

Tu soupires enfin, et sembles te troubler :
560 Achève, parle.

BAJAZET
Ô ciel ! que ne puis-je parler ?

ROXANE
Quoi donc ? Que dites-vous ? et que viens-je d'entendre ?
Vous avez des secrets que je ne puis apprendre !
Quoi ! de vos sentiments je ne puis m'éclaircir[1] ?

BAJAZET
Madame, encore un coup[2], c'est à vous de choisir :
565 Daignez m'ouvrir au trône un chemin légitime,
Ou bien, me voilà prêt, prenez votre victime.

ROXANE
Ah ! c'en est trop enfin, tu seras satisfait.
Holà ! gardes, qu'on vienne.

---

1. *M'éclaircir* : m'instruire.
2. *Encore un coup* : encore une fois (langage soutenu).

Acte II Scène 1

RHÉTORIQUE ET PERSUASION

1. Dégagez le plan de la tirade de Roxane et donnez un titre à chacune des parties (v. 421 à 450). Quelle est la logique de son argumentation ? Pourquoi tarde-t-elle à faire clairement sa proposition ?

2. De quel ordre sont les arguments invoqués par Roxane ? Sur quoi insiste-t-elle tout particulièrement ? À quels sentiments de Bajazet fait-elle appel ? Comment explique-t-elle la nécessité de ce mariage ?

3. Par quels procédés stylistiques (vocabulaire, constructions, rythme, etc.) est obtenu l'effet de solennité du discours ?

4. Quel est le plan de la première réplique de Bajazet (v. 471 à 496) ? Le fait qu'elle soit ainsi construite joue-t-il en la faveur de celui-ci ? Quelles raisons invoque-t-il contre le mariage proposé ? Comparez sa première et sa seconde réplique. Quel changement remarquez-vous ?

5. En quoi les raisonnements de Bajazet sont-ils maladroits ? Roxane s'en rend-elle compte ?

LES FUREURS DE L'AMOUR

6. Étudiez les changements de ton de Roxane dans la première moitié de la scène. Sur quel ton adresse-t-elle d'abord la parole à Bajazet ? À quel moment son impatience commence-t-elle à se manifester ? Comment s'effectue ensuite le passage de l'ironie à la menace ?

7. En quoi le vers 520 marque-t-il le tournant de la scène ? Quels sentiments contradictoires se succèdent dans le cœur de Roxane ? Quels indices permettent de voir son désarroi intérieur ?

8. Quelle conception de l'amour Roxane se fait-elle ? Pourquoi peut-on dire que ce sentiment est en elle inséparable de la volonté de puissance ? Quels vers le montrent le mieux ?

9. Quel rôle joue Bajazet face à Roxane ? Correspond-il à ce que vous attendiez du personnage ? Justifiez votre réponse.

SCÈNE 2. BAJAZET, ROXANE, ACOMAT.

ROXANE

Acomat, c'en est fait.
Vous pouvez retourner, je n'ai rien à vous dire.
570 Du sultan Amurat je reconnais l'empire.
Sortez. Que le sérail soit désormais fermé,
Et que tout rentre ici dans l'ordre accoutumé.

SCÈNE 3. BAJAZET, ACOMAT.

ACOMAT

Seigneur, qu'ai-je entendu ? Quelle surprise extrême !
Qu'allez-vous devenir ? Que deviens-je moi-même ?
575 D'où naît ce changement ? Qui[1] dois-je en accuser ?
Ô ciel !

BAJAZET

Il ne faut point ici[2] vous abuser[3].
Roxane est offensée et court à la vengeance.
Un obstacle éternel rompt notre intelligence[4].
Vizir, songez à vous, je vous en averti[5],
580 Et, sans compter sur moi, prenez votre parti[6].

ACOMAT

Quoi ?

1. *Qui* : neutre ou masculin ici.
2. *Ici* : maintenant.
3. *Vous abuser* : vous tromper.
4. *Intelligence* : accord.
5. *Averti* : licence orthographique justifiée par la rime.
6. *Parti* : décision.

BAJAZET

Vous et vos amis, cherchez quelque retraite.
Je sais dans quels périls mon amitié vous jette,
Et j'espérais un jour vous mieux récompenser.
Mais c'en est fait, vous dis-je, il n'y faut plus penser.

ACOMAT

585 Et quel est donc, Seigneur, cet obstacle invincible ?
Tantôt[1] dans le sérail j'ai laissé tout paisible.
Quelle fureur saisit votre esprit et le sien ?

BAJAZET

Elle veut, Acomat, que je l'épouse !

ACOMAT

Eh bien ?
L'usage des sultans à ses vœux est contraire ;
590 Mais cet usage, enfin, est-ce une loi sévère
Qu'aux dépens de vos jours vous deviez observer ?
La plus sainte des lois, ah ! c'est de vous sauver,
Et d'arracher, Seigneur, d'une mort manifeste,
Le sang des Ottomans dont vous faites le reste[2].

BAJAZET

595 Ce reste malheureux serait trop acheté[3],
S'il faut[4] le conserver par une lâcheté.

ACOMAT

Et pourquoi vous en[5] faire une image si noire ?
L'hymen de Soliman ternit-il sa mémoire ?
Cependant Soliman n'était point menacé[6]

---

1. *Tantôt* : tout à l'heure, il y a très peu de temps.
2. *Dont vous faites le reste* : dont vous constituez, à vous seul, le reste.
3. *Trop acheté* : payé trop cher.
4. *S'il faut le conserver* : on attendrait « s'il fallait ».
5. *En* : c'est-à-dire du mariage.
6. *Menacé* : l'orthographe habituelle du verbe au XVIIe siècle était en fait « menassé », et pas seulement à la rime.

600 Des périls évidents dont vous êtes pressé.

BAJAZET

Et ce sont ces périls et ce soin de ma vie
Qui d'un servile hymen feraient l'ignominie[1].
Soliman n'avait point ce prétexte odieux :
Son esclave trouva grâce devant ses yeux,
605 Et sans subir le joug d'un hymen nécessaire,
Il lui fit de son cœur un présent volontaire.

ACOMAT

Mais vous aimez Roxane.

BAJAZET

              Acomat, c'est assez.
Je me plains de mon sort moins que vous ne pensez.
La mort n'est point pour moi le comble des disgrâces[2] ;
610 J'osai, tout jeune encor, la chercher sur vos traces,
Et l'indigne prison où je suis renfermé
À la voir de plus près m'a même accoutumé ;
Amurat à mes yeux l'a vingt fois présentée.
Elle finit le cours d'une vie agitée.
615 Hélas ! si je la quitte avec quelque regret...
Pardonnez, Acomat ; je plains avec sujet[3]
Des cœurs dont les bontés, trop mal récompensées,
M'avaient pris pour objet de toutes leurs pensées.

ACOMAT

Ah ! si nous périssons, n'en accusez que vous,
620 Seigneur. Dites un mot, et vous nous sauvez tous.
Tout ce qui reste ici de braves janissaires,
De la religion les saints dépositaires,
Du peuple byzantin ceux qui, plus respectés[4],

---

1. *Qui ... l'ignominie :* qui rendraient odieux ce mariage avilissant et indigne de moi.
2. *Disgrâces :* malheurs.
3. *Avec sujet :* non sans raison.
4. *Plus respectés :* le plus respectés.

85

Par leur exemple seul règlent ses volontés,
625 Sont prêts de vous conduire à la porte sacrée
D'où[1] les nouveaux sultans font leur première entrée.

BAJAZET

Eh bien ! brave Acomat, si je leur suis si cher,
Que des mains de Roxane ils viennent m'arracher.
Du sérail, s'il le faut, venez forcer la porte ;
630 Entrez accompagné de leur vaillante escorte.
J'aime mieux en sortir sanglant, couvert de coups,
Que chargé malgré moi du nom de son époux.
Peut-être je saurai, dans ce désordre extrême,
Par un beau désespoir me secourir moi-même,
635 Attendre, en combattant, l'effet de votre foi,
Et vous donner le temps de venir jusqu'à moi.

ACOMAT

Hé ! pourrai-je empêcher, malgré ma diligence,
Que Roxane d'un coup n'assure sa vengeance ?
Alors qu'aura servi ce zèle impétueux,
640 Qu'à charger vos amis d'un crime infructueux ?
Promettez. Affranchi d'un péril qui vous presse,
Vous verrez de quel poids sera votre promesse.

BAJAZET

Moi !

ACOMAT

Ne rougissez point : le sang des Ottomans
Ne doit point en esclave obéir aux serments.
645 Consultez ces héros que le droit de la guerre
Mena victorieux jusqu'au bout de la terre :
Libres dans leur victoire, et maîtres de leur foi,
L'intérêt de l'État fut leur unique loi ;
Et d'un trône si saint la moitié n'est fondée
650 Que sur la foi promise et rarement gardée.

---

1. *D'où* : par où.

Je m'emporte, Seigneur...

BAJAZET

Oui, je sais, Acomat,
Jusqu'où les a portés l'intérêt de l'État.
Mais ces mêmes héros, prodigues de leur vie,
Ne la rachetaient point par une perfidie.

ACOMAT

655 Ô courage inflexible ! Ô trop constante foi,
Que même en périssant j'admire malgré moi !
Faut-il qu'en un moment un scrupule timide[1]
Perde... Mais quel bonheur nous envoie Atalide ?

---

1. *Timide* : qui effraie.

Acte II Scènes 2 et 3

PREMIER REVIREMENT

1. Quelle étape de l'action marque le « c'en est fait » de Roxane au vers 568 ? Le retour à l'« ordre accoutumé » est-il possible ? Justifiez votre réponse.

2. L'arrivée d'Acomat était-elle préparée ? Qu'a-t-il fait pendant son absence ? En quoi la situation a-t-elle changé depuis la scène 2 de l'acte I ?

3. Est-ce à lui que s'adresse le « sortez » du vers 571 ? Si oui, pourquoi reste-t-il sur scène ?

RAISON D'ÉTAT ET HÉROÏSME

4. Quelle est la réaction d'Acomat à ce changement de situation ? Par quels arguments essaie-t-il de fléchir Bajazet ? Ces arguments vous surprennent-ils de sa part ? Pourquoi ?

5. Quelle attitude politique Acomat représente-t-il (v. 643 à 650) ? Quels autres personnages de Racine, ou de Corneille, expriment des vues semblables ?

6. Comment Bajazet répond-il aux arguments d'Acomat ? Ses objections vous paraissent-elles convaincantes ? sincères ? Ne cachent-elles pas quelque chose ?

7. À quel moment de la scène la résistance de Bajazet aux arguments d'Acomat semble-t-elle fléchir ? À quoi le voyez-vous ? Quelles paroles d'Acomat ont pu provoquer cette hésitation ? À quoi Racine prépare-t-il ainsi le spectateur ?

8. D'où vient en définitive le malentendu entre Bajazet et Acomat ? S'agit-il simplement d'une différence de vues politiques ou d'une volonté de défendre d'autres valeurs ? Lesquelles ? Quelle est la véritable raison de son attitude ?

9. Quel plan d'action Bajazet propose-t-il (v. 627 à 636) ? En quoi est-il héroïque et aussi politiquement habile ? Que vous apprend-il sur le caractère de Bajazet ?

10. Y a-t-il un rapprochement des points de vue à la fin de la scène ? Les protagonistes sont-ils sortis de l'impasse où les ont mis l'ultimatum de Roxane et le refus de Bajazet ?

SCÈNE 4.   BAJAZET, ATALIDE, ACOMAT.

ACOMAT

Ah ! Madame, venez avec moi vous unir :
660 Il se perd.

ATALIDE

        C'est de quoi je viens l'entretenir.
Mais laissez-nous. Roxane, à sa perte animée[1],
Veut que de ce palais la porte soit fermée.
Toutefois, Acomat, ne vous éloignez pas :
Peut-être on vous fera revenir sur vos pas.

SCÈNE 5.   BAJAZET, ATALIDE.

BAJAZET

665 Eh bien ! c'est maintenant qu'il faut que je vous laisse.
Le ciel punit ma feinte[2] et confond[3] votre adresse ;
Rien ne m'a pu parer contre ses derniers coups :
Il fallait ou mourir, ou n'être plus à vous.
De quoi nous a servi cette indigne contrainte ?
670 Je meurs plus tard : voilà tout le fruit de ma feinte.
Je vous l'avais prédit ; mais vous l'avez voulu.
J'ai reculé vos pleurs[4] autant que je l'ai pu.
Belle Atalide, au nom de cette complaisance,
Daignez de la sultane éviter la présence :
675 Vos pleurs vous trahiraient ; cachez-les à ses yeux,
Et ne prolongez point de dangereux adieux.

---

1. *À sa perte animée :* animée du désir de le perdre.
2. *Feinte :* mensonge, ruse, artifice.
3. *Confond :* fait échouer.
4. *J'ai reculé vos pleurs :* j'ai reculé le moment de vos pleurs.

ATALIDE

Non, Seigneur. Vos bontés pour une infortunée
Ont assez disputé[1] contre la destinée.
Il vous en coûte trop pour vouloir m'épargner :
680 Il faut vous rendre ; il faut me quitter, et régner.

BAJAZET

Vous quitter ?

ATALIDE

Je le veux. Je me suis consultée.
De mille soins jaloux jusqu'alors agitée,
Il est vrai, je n'ai pu concevoir sans effroi
Que Bajazet pût vivre et n'être plus à moi ;
685 Et lorsque quelquefois de ma rivale heureuse
Je me représentais l'image douloureuse,
Votre mort (pardonnez aux fureurs des amants)
Ne me paraissait pas le plus grand des tourments.
Mais à mes tristes yeux votre mort préparée
690 Dans toute son horreur ne s'était pas montrée ;
Je ne vous voyais pas ainsi que je vous vois,
Prêt à me dire adieu pour la dernière fois.
Seigneur, je sais trop bien avec quelle constance
Vous allez de la mort affronter la présence ;
695 Je sais que votre cœur se fait quelques plaisirs
De me prouver sa foi dans ses derniers soupirs.
Mais, hélas ! épargnez une âme plus timide ;
Mesurez vos malheurs aux forces d'Atalide,
Et ne m'exposez point aux plus vives douleurs
700 Qui jamais d'une amante épuisèrent les pleurs.

BAJAZET

Et que deviendrez-vous, si dès cette journée,
Je célèbre à vos yeux ce funeste[2] hyménée ?

---

1. *Disputé :* lutté.
2. *Funeste :* qui apporte le malheur et la mort.

ATALIDE

Ne vous informez point ce que[1] je deviendrai.
Peut-être à mon destin, Seigneur, j'obéirai.
705 Que sais-je ? À ma douleur je chercherai des charmes[2].
Je songerai peut-être, au milieu de mes larmes,
Qu'à vous perdre pour moi vous étiez résolu,
Que vous vivez, qu'enfin c'est moi qui l'ai voulu.

BAJAZET

Non, vous ne verrez point cette fête cruelle[3].
710 Plus vous me commandez de vous être infidèle,
Madame, plus je vois combien vous méritez
De ne point obtenir ce que vous souhaitez.
Quoi ? cet amour si tendre, et né dans notre enfance,
Dont les feux avec nous ont crû dans le silence,
715 Vos larmes que ma main pouvait seule arrêter,
Mes serments redoublés de ne vous point quitter,
Tout cela finirait par une perfidie ?
J'épouserais, et qui ? (s'il faut que je le die[4])
Une esclave attachée à ses seuls intérêts,
720 Qui présente à mes yeux les supplices tout prêts,
Qui m'offre ou son hymen, ou la mort infaillible ;
Tandis qu'à mes périls Atalide sensible,
Et trop digne du sang qui lui donna le jour,
Veut me sacrifier jusques à son amour.
725 Ah ! qu'au jaloux sultan ma tête soit portée,
Puisqu'il faut à ce prix qu'elle soit rachetée !

ATALIDE

Seigneur, vous pourriez vivre, et ne me point trahir.

BAJAZET

Parlez : si je le puis, je suis prêt d'obéir.

---

1. *Ce que* : de ce que.
2. *Charmes* : remèdes magiques (sens fort).
3. *Cette fête cruelle* : la cérémonie du mariage.
4. *Die* : dise.

91

ATALIDE

La sultane vous aime ; et malgré sa colère,
730 Si vous preniez, Seigneur, plus de soin de lui plaire,
Si vos soupirs daignaient lui faire pressentir
Qu'un jour...

BAJAZET

Je vous entends : je n'y puis consentir.
Ne vous figurez point que, dans cette journée,
D'un lâche désespoir ma vertu consternée[1]
735 Craigne les soins d'un trône[2] où je pourrais monter,
Et par un prompt trépas cherche à les éviter.
J'écoute trop peut-être une imprudente audace ;
Mais sans cesse occupé des grands noms de ma race[3],
J'espérais que, fuyant un indigne repos,
740 Je prendrais quelque place entre tant de héros.
Mais quelque ambition, quelque amour qui me brûle,
Je ne puis plus tromper une amante crédule.
En vain, pour me sauver, je vous l'aurais promis :
Et ma bouche et mes yeux du mensonge ennemis,
745 Peut-être, dans le temps que je voudrais lui plaire,
Feraient par leur désordre[4] un effet tout contraire ;
Et de mes froids soupirs ses regards offensés
Verraient trop que mon cœur ne les a point poussés.
Ô ciel ! combien de fois je l'aurais éclaircie,
750 Si je n'eusse à sa haine exposé que ma vie ;
Si je n'avais pas craint que ses soupçons jaloux
N'eussent trop aisément remonté jusqu'à vous !
Et j'irais l'abuser d'une fausse promesse ?
Je me parjurerais ? Et par cette bassesse...
755 Ah ! loin de m'ordonner cet indigne détour[5],

---

1. *Ma vertu consternée* : mon courage abattu.
2. *Les soins d'un trône* : les soucis qu'entraîne la conquête d'un
trône.
3. *De ma race* : de ma famille.
4. *Désordre* : trouble.
5. *Détour* : ruse, artifice.

Si votre cœur était moins plein de son amour,
Je vous verrais sans doute en rougir la première.
Mais pour vous épargner une injuste prière,
Adieu ; je vais trouver Roxane de ce pas,
760 Et je vous quitte.

ATALIDE

Et moi, je ne vous quitte pas.
Venez, cruel, venez, je vais vous y[1] conduire,
Et de tous nos secrets c'est moi qui veux l'instruire.
Puisque, malgré mes pleurs, mon amant furieux
Se fait tant de plaisir d'expirer à mes yeux,
765 Roxane, malgré vous, nous joindra l'un et l'autre :
Elle aura plus de soif de mon sang que du vôtre,
Et je pourrai donner à vos yeux effrayés
Le spectacle sanglant que vous me prépariez.

BAJAZET

Ô ciel ! que faites-vous ?

ATALIDE

Cruel, pouvez-vous croire
770 Que je sois moins que vous jalouse de ma gloire ?
Pensez-vous que cent fois, en vous faisant parler,
Ma rougeur ne fût pas prête à me déceler[2] ?
Mais on me présentait votre perte prochaine.
Pourquoi faut-il, ingrat, quand la mienne est certaine,
775 Que vous n'osiez pour moi ce que j'osais pour vous ?
Peut-être il suffira d'un mot un peu plus doux ;
Roxane dans son cœur peut-être vous pardonne.
Vous-même, vous voyez le temps qu'elle vous donne.
A-t-elle, en vous quittant, fait sortir le vizir ?
780 Des gardes à mes yeux viennent-ils vous saisir ?
Enfin, dans sa fureur implorant mon adresse,

---

1. *Y* : à elle (en français classique, « y » était employé pour les personnes comme pour les choses).
2. *Déceler* : trahir.

Ses pleurs ne m'ont-ils pas découvert sa tendresse ?
Peut-être elle n'attend qu'un espoir incertain
Qui lui fasse tomber les armes de la main.
785 Allez, Seigneur : sauvez votre vie et la mienne.

BAJAZET

Eh bien ! Mais quels discours faut-il que je lui tienne ?

ATALIDE

Ah ! daignez sur ce choix ne me point consulter.
L'occasion, le ciel pourra vous les dicter.
Allez. Entre elle et vous je ne dois point paraître :
790 Votre trouble ou le mien nous feraient reconnaître[1].
Allez ; encore un coup, je n'ose m'y trouver.
Dites... tout ce qu'il faut, Seigneur, pour vous sauver.

---

1. *Nous feraient reconnaître* : nous trahiraient.

Acte II Scènes 4 et 5

L'INTÉRÊT DRAMATIQUE DE LA SCÈNE

1. L'arrivée d'Atalide à la scène 4 est-elle naturelle ? En quel sens relance-t-elle l'action ?

2. Analysez le mouvement de la scène. Par quelles étapes passe-t-on du désaccord initial à la décision finale ?
Comment Racine réussit-il à maintenir l'effet de suspense jusqu'à la fin ?

3. Pourquoi Atalide et Bajazet prennent-ils des résolutions opposées (v. 681 à 692 et v. 732 à 754) ? Quels sentiments les animent ?

4. Devant quel dilemme Bajazet se trouve-t-il placé ? Comment peut-il en sortir ? Quel est le dilemme d'Atalide ? En quel sens peut-on parler d'interdépendance des principaux personnages de la pièce ?

5. À quel « compromis » Bajazet se résigne-t-il à la fin (v. 727 à 732) ? Quelles nécessités permet-il de concilier ? Ce revirement de Bajazet était-il prévisible ?

UN DUO D'AMOUR ET DE GÉNÉROSITÉ

6. Quel est le sens exact du mot « générosité » ? En quoi s'applique-t-il au comportement des deux amants dans cette scène ?

7. Quelle est la nature du sentiment que Bajazet éprouve pour Atalide ? Quelle image se fait-il d'Atalide ?

8. Relevez les métaphores amoureuses dans cette scène et classez-les. Peut-on parler de subtilité précieuse dans l'expression de l'amour ? Analysez aussi la variété du vers et les changements de rythme.

9. Tendresse et cruauté : comment peut-on expliquer cette part d'agressivité dans l'amour d'Atalide pour Bajazet (v. 681 à 688) ? Quel sentiment intérieur fait obstacle à sa volonté de sauver Bajazet ? Comment expliquez-vous son mouvement de dépit aux vers 760 à 768 ?

Ensemble de l'acte II

IMPULSION ET CIRCULARITÉ

1. Quel est le mouvement général de l'acte ? Comment l'action a-t-elle évolué ? Précisez votre réponse.

2. L'entrevue de Roxane et de Bajazet a-t-elle permis de clarifier la situation ? À quoi Roxane a-t-elle obligé les autres protagonistes ?

3. Montrez comment l'intervention d'Atalide à la fin de l'acte, tout en paraissant en un sens relancer l'action, constitue en fait un retour au statu quo, à la situation ambiguë du début. Qu'en concluez-vous sur la structure de la pièce ? Sur quel point d'interrogation se termine l'acte ?

4. Acomat peut-il encore jouer un rôle actif dans l'action ? À quoi voyez-vous que le contrôle des événements commence à lui échapper ? Pourquoi ?

UN HOMME ENTRE DEUX FEMMES

5. Comment se développe le portrait de Bajazet ? Quel est son comportement face aux autres protagonistes de la pièce ? Quels aspects de son caractère éclaire-t-il ? Le reproche de fausseté vous paraît-il justifié ? Et celui de faiblesse ?

6. Comment expliquez-vous le revirement de Bajazet à la fin de l'acte ?

7. Sous quel jour nouveau se présente Atalide ? Comparez avec la scène 4 de l'acte I.

8. Le caractère de Roxane vous paraît-il tout d'une pièce ? Ses résolutions sont-elles toujours suivies d'effet ? Pourquoi ? Quelle erreur commet-elle dans ses rapports avec Bajazet ?

Acte III

SCÈNE PREMIÈRE. ATALIDE, ZAÏRE.

ATALIDE

Zaïre, il est donc vrai, sa grâce est prononcée ?

ZAÏRE

Je vous l'ai dit, Madame : une esclave empressée,
795 Qui courait de Roxane accomplir le désir,
Aux portes du sérail a reçu le vizir.
Ils ne m'ont point parlé ; mais mieux qu'aucun langage,
Le transport[1] du vizir marquait sur son visage
Qu'un heureux changement le rappelle au palais,
800 Et qu'il y vient signer une éternelle paix.
Roxane a pris sans doute une plus douce voie.

ATALIDE

Ainsi de toutes parts les plaisirs et la joie
M'abandonnent, Zaïre, et marchent sur leurs pas.
J'ai fait ce que j'ai dû ; je ne m'en repens pas.

ZAÏRE

805 Quoi, Madame ! Quelle est cette nouvelle alarme ?

ATALIDE

Et ne t'a-t-on point dit, Zaïre, par quel charme,
Ou, pour mieux dire enfin, par quel engagement[2]
Bajazet a pu faire[3] un si prompt changement ?

---

1. *Transport* : manifestation extérieure d'un sentiment violent de joie,
de colère, de haine, etc.
2. *Engagement* : obligation qui fait que l'on n'est plus libre de faire
ce que l'on veut.
3. *Faire* : provoquer, causer.

Claude Thévelin (Zaïre) et Isabelle Hétier (Atalide).
Mise en scène de Jean-Luc Jeener (Compagnie de l'Élan).
Crypte Sainte-Agnès, Paris, 1990.

Roxane en sa fureur paraissait inflexible.
810 A-t-elle de son cœur quelque gage infaillible ?
Parle. L'épouse-t-il ?

ZAÏRE

Je n'en ai rien appris.
Mais enfin s'il n'a pu se sauver qu'à ce prix,
S'il fait ce que vous-même avez su lui prescrire,
S'il l'épouse, en un mot...

ATALIDE

S'il l'épouse, Zaïre !

ZAÏRE

815 Quoi ! vous repentez-vous des généreux discours
Que vous dictait le soin de conserver ses jours ?

ATALIDE

Non, non ; il ne fera que ce qu'il a dû faire.
Sentiments trop jaloux, c'est à vous de vous taire :
Si Bajazet l'épouse, il suit mes volontés.
820 Respectez ma vertu[1] qui vous a surmontés ;
À ces nobles conseils ne mêlez point le vôtre,
Et loin de me le peindre entre les bras d'une autre,
Laissez-moi sans regret me le représenter
Au trône où mon amour l'a forcé de monter.
825 Oui, je me reconnais, je suis toujours la même.
Je voulais qu'il m'aimât, chère Zaïre : il m'aime ;
Et du moins cet espoir me console aujourd'hui
Que je vais mourir digne et contente de lui.

ZAÏRE

Mourir ! Quoi ? vous auriez un dessein si funeste ?

ATALIDE

830 J'ai cédé mon amant : tu t'étonnes du reste ?
Peux-tu compter, Zaïre, au nombre des malheurs

---

1. *Vertu* : courage moral, grandeur d'âme.

Une mort qui prévient et finit tant de pleurs ?
Qu'il vive, c'est assez. Je l'ai voulu, sans doute,
Et je le veux toujours, quelque prix qu'il m'en coûte.
835 Je n'examine[1] point ma joie ou mon ennui :
J'aime assez mon amant pour renoncer à lui.
Mais, hélas ! il peut bien penser avec justice
Que si j'ai pu lui faire un si grand sacrifice,
Ce cœur, qui de ses jours prend ce funeste soin,
840 L'aime trop pour vouloir en[2] être le témoin.
Allons, je veux savoir...

ZAÏRE

Modérez-vous, de grâce.
On vient vous informer de tout ce qui se passe.
C'est le vizir.

---

1. *Examine* : prends en considération.
2. « En » : renvoie à « sacrifice ».

Acte III Scène 1

UNE SCÈNE À FAIRE ?

1. À la lecture de cette scène, reconstituez les événements qui ont eu lieu pendant l'entracte.

2. Pourquoi Racine a-t-il choisi de ne pas représenter une scène aussi importante ? Qu'y gagne-t-on ? Y a-t-il là une entorse aux règles classiques ?

LE REVIREMENT D'ATALIDE

3. Quel effet a eu sur le sérail la réconciliation de Bajazet et de Roxane ? Montrez comment le vocabulaire employé par Zaïre dans son récit reflète l'atmosphère nouvelle qui y règne (v. 794 à 801).

4. Zaïre ne déforme-t-elle pas dans une certaine mesure l'information reçue ? Quel est en définitive le seul fait certain ?

5. Comment réagit Atalide à cette nouvelle ? Analysez les sentiments contradictoires par lesquels elle passe (v. 802 à 828). En quoi sa jalousie remet-elle en question l'idéal de générosité qu'elle a exprimé à la scène précédente. Quels vers le montrent le mieux ?

6. Quel mot la fait reculer ? Étudiez la manière dont elle cherche à surmonter son sentiment de jalousie.

LE VERTIGE DE LA MORT

7. Pourquoi Atalide choisit-elle de mourir (v. 830 à 840) ? Comment justifie-t-elle cette intention ?

8. Ce suicide est-il vraiment possible ? Justifiez votre réponse en vous reportant à la scène précédente.

9. A-t-elle déjà manifesté sa volonté de mourir ? Dans quelle scène ? Sa mort avait-elle alors le même sens ? Dans cette même scène, Atalide faisait également une promesse que remet en question son intention actuelle de se donner la mort. Quelle était-elle ?

SCÈNE 2.   ATALIDE, ACOMAT, ZAÏRE.

ACOMAT

Enfin, nos amants sont d'accord,
Madame ; un calme heureux nous remet dans le port.
845 La sultane a laissé désarmer sa colère ;
Elle m'a déclaré sa volonté dernière[1] ;
Et, tandis qu'elle montre au peuple épouvanté
Du prophète divin l'étendard redouté,
Qu'à marcher sur mes pas Bajazet se dispose,
850 Je vais de ce signal faire entendre[2] la cause,
Remplir tous les esprits d'une juste terreur,
Et proclamer enfin le nouvel empereur.
Cependant permettez que je vous renouvelle[3]
Le souvenir du prix qu'on promit à mon zèle.
855 N'attendez point de moi ces doux emportements,
Tels que j'en vois paraître au cœur de ces amants ;
Mais si, par d'autres soins, plus dignes de mon âge,
Par de profonds respects, par un long esclavage[4],
Tel que nous le devons au sang de nos sultans,
860 Je puis...

ATALIDE

Vous m'en pourrez instruire[5] avec le temps.
Avec le temps aussi vous pourrez me connaître.
Mais quels sont ces transports qu'ils vous ont fait paraître[6] ?

---

1. *Dernière* : définitive.
2. *Faire entendre* : révéler, expliquer.
3. *Renouvelle* : rappelle.
4. *Esclavage* : métaphore galante généralement utilisée pour exprimer la soumission d'un homme à une femme.
5. *Vous m'en pourrez instruire* : vous pourrez m'en instruire.
6. *Qu'ils vous ont fait paraître* : qu'ils ont fait paraître devant vous.

ACOMAT

Madame, doutez-vous des soupirs enflammés
De deux jeunes amants l'un de l'autre charmés ?

ATALIDE

865 Non ; mais à dire vrai, ce miracle m'étonne.
Et dit-on à quel prix Roxane lui pardonne ?
L'épouse-t-il enfin ?

ACOMAT

Madame, je le croi[1].
Voici tout ce qui vient d'arriver devant moi.
Surpris, je l'avouerai, de leur fureur commune,
870 Querellant[2] les amants, l'amour et la fortune,
J'étais de ce palais sorti désespéré.
Déjà, sur un vaisseau dans le port préparé,
Chargeant de mon débris[3] les reliques plus chères[4],
Je méditais ma fuite aux terres étrangères.
875 Dans ce triste[5] dessein au palais rappelé,
Plein de joie et d'espoir, j'ai couru, j'ai volé.
La porte du sérail à ma voix s'est ouverte,
Et d'abord[6] une esclave à mes yeux s'est offerte,
Qui m'a conduit sans bruit dans un appartement
880 Où Roxane attentive écoutait son amant.
Tout gardait devant eux un auguste silence.
Moi-même, résistant à mon impatience,
Et respectant de loin leur secret entretien,
J'ai longtemps, immobile, observé leur maintien.
885 Enfin, avec des yeux qui découvraient son âme,
L'une a tendu la main pour gage de sa flamme ;
L'autre, avec des regards éloquents, pleins d'amour,

---

1. *Croi* : orthographe archaïque justifiée par la rime.
2. *Querellant* : me plaignant de.
3. *Débris* : ruine.
4. *Les reliques plus chères* : les restes les plus précieux.
5. *Triste* : funeste.
6. *D'abord* : aussitôt.

L'a de ses feux, Madame, assurée à son tour.

ATALIDE

Hélas !

ACOMAT

Ils m'ont alors aperçu l'un et l'autre.
890 « Voilà, m'a-t-elle dit, votre prince et le nôtre.
« Je vais, brave Acomat, le remettre en vos mains.
« Allez lui préparer les honneurs souverains ;
« Qu'un peuple obéissant l'attende dans le temple[1] :
« Le sérail va bientôt vous en[2] donner l'exemple. »
895 Aux pieds de Bajazet alors je suis tombé,
Et soudain[3] à leurs yeux je me suis dérobé ;
Trop heureux d'avoir pu, par un récit fidèle[4],
De leur paix, en passant, vous conter la nouvelle,
Et m'acquitter vers[5] vous de mes respects profonds,
900 Je vais le couronner, Madame, et j'en réponds.

SCÈNE 3. ATALIDE, ZAÏRE.

ATALIDE

Allons, retirons-nous, ne troublons point leur joie.

ZAIRE

Ah, Madame ! croyez...

---

1. *Temple* : terme habituellement utilisé pour désigner tout édifice religieux. On attendrait plutôt « mosquée » ici.
2. *En* : de cette obéissance.
3. *Soudain* : aussitôt.
4. *Fidèle* : conforme à la vérité.
5. *Vers* : envers.

« *Voilà, m'a-t-elle dit...* » (v. 890 à 895).
Gravure de R. Massard d'après une illustration de F. Gérard.
Bibliothèque nationale, Paris.

ATALIDE

Que veux-tu que je croie ?
Quoi donc ? à ce spectacle irai-je m'exposer ?
Tu vois que c'en est fait : ils se vont épouser ;
905 La sultane est contente, il l'assure qu'il l'aime.
Mais je ne m'en plains pas, je l'ai voulu moi-même.
Cependant croyais-tu, quand, jaloux de sa foi[1],
Il s'allait plein d'amour sacrifier pour moi,
Lorsque son cœur, tantôt m'exprimant sa tendresse,
910 Refusait à Roxane une simple promesse,
Quand mes larmes en vain tâchaient de l'émouvoir,
Quand je m'applaudissais de leur peu de pouvoir,
Croyais-tu que son cœur, contre toute apparence,
Pour la persuader trouvât tant d'éloquence ?
915 Ah ! peut-être, après tout, que sans trop se forcer,
Tout ce qu'il a pu dire, il a pu le penser.
Peut-être en la voyant, plus sensible pour elle[2],
Il a vu dans ses yeux quelque grâce[3] nouvelle.
Elle aura devant lui fait parler ses douleurs ;
920 Elle l'aime ; un empire autorise[4] ses pleurs ;
Tant d'amour touche enfin une âme généreuse[5] :
Hélas ! que de raisons contre une malheureuse !

ZAÏRE

Mais ce succès, Madame, est encore incertain.
Attendez.

ATALIDE

Non, vois-tu, je le nierais en vain.
925 Je ne prends point plaisir à croître ma misère.
Je sais pour se sauver tout ce qu'il a dû faire.

---

1. *Jaloux de sa foi* : attaché à sa parole, respectueux de sa promesse.
2. *Plus sensible pour elle* : plus capable d'éprouver de l'amour pour elle.
3. *Grâce* : agrément.
4. *Autorise* : donne de l'autorité, de la force à.
5. *Généreuse* : d'une nature noble.

Quand mes pleurs vers Roxane ont rappelé ses pas,
Je n'ai point prétendu[1] qu'il ne m'obéît pas.
Mais après les adieux que je venais d'entendre,
930 Après tous les transports d'une douleur si tendre,
Je sais qu'il n'a point dû[2] lui faire remarquer
La joie et les transports qu'on vient de m'expliquer[3].
Toi-même, juge-nous, et vois si je m'abuse :
Pourquoi de ce conseil moi seule suis-je excluse[4] ?
935 Au sort de Bajazet ai-je si peu de part ?
À me chercher lui-même attendrait-il si tard,
N'était que de son cœur le trop juste[5] reproche
Lui fait peut-être, hélas ! éviter cette approche ?
Mais non, je lui veux bien épargner ce souci :
940 Il ne me verra plus.

ZAÏRE
Madame, le voici.

1. *Prétendu* : voulu.
2. *N'a point dû* : n'aurait point dû.
3. *M'expliquer* : me décrire.
4. *Excluse* : autre forme du participe « exclue » dans la langue
classique.
5. *Juste* : justifié.

Acte III Scènes 2 et 3

LE « RÉCIT FIDÈLE » D'ACOMAT

1. Pourquoi l'entrevue de Roxane et de Bajazet n'a-t-elle pas été montrée sur scène ?

2. En quoi le récit d'Acomat complète-t-il le rapport fait par Zaïre aux vers 794 à 801 ? Acomat se préparait-il à le faire ?

3. Dégagez le plan de la tirade d'Acomat (v. 867 à 900). Les changements de rythme vous paraissent-ils révélateurs ? De quoi ?

4. Quels sont les éléments qui pourraient remettre en cause l'objectivité du récit d'Acomat ?

5. Par quels côtés le récit d'Acomat peut-il faire penser à un rêve ou à une représentation théâtrale ? Quels mots l'indiquent tout particulièrement ?

GALANTERIE ET CRUAUTÉ

6. Relevez les expressions appartenant au langage galant qu'utilise Acomat (v. 843 à 860). Cette galanterie vous étonne-t-elle de la part d'Acomat ? Pourquoi ?

7. Quel peut être son effet sur Atalide ? En quoi Acomat se montre-t-il involontairement cruel ?

8. Quelle est la seule question qui intéresse finalement Atalide ?

9. Quelle est l'erreur que commet ici Atalide ? Comment s'explique sa crédulité ? En quoi le thème du trompeur trompé s'applique-t-il tout particulièrement à cette scène ?

UN CRI DE JALOUSIE

10. Comparez les deux tirades d'Atalide en faisant apparaître le parallélisme de leur mouvement. Montrez comment dans chacune des deux tirades les vers 906 et 926 à 928 s'opposent aux autres.

11. Deux sentiments contradictoires se partagent le cœur d'Atalide. Quels sont-ils ?

12. Étudiez la progression du manque de confiance d'Atalide en Bajazet au cours de cette scène.

SCÈNE 4. BAJAZET, ATALIDE, ZAÏRE.

BAJAZET

C'en est fait, j'ai parlé, vous êtes obéie.
Vous n'avez plus, Madame, à craindre pour ma vie ;
Et je serais heureux, si la foi, si l'honneur
Ne me reprochaient point mon injuste bonheur,
945 Si mon cœur, dont le trouble en secret me condamne,
Pouvait me pardonner aussi bien que Roxane.
Mais enfin je me vois les armes à la main ;
Je suis libre, et je puis contre un frère inhumain,
Non plus, par un silence aidé de votre adresse,
950 Disputer[1] en ces lieux le cœur de sa maîtresse[2],
Mais par de vrais combats, par de nobles dangers,
Moi-même le cherchant aux climats étrangers,
Lui disputer les cœurs du peuple et de l'armée,
Et pour juge entre nous prendre la Renommée.
955 Que vois-je ? Qu'avez-vous ? Vous pleurez !

ATALIDE

Non, Seigneur,
Je ne murmure[3] point contre votre bonheur ;
Le ciel, le juste ciel vous devait ce miracle.
Vous savez si jamais j'y formai quelque obstacle :
Tant que j'ai respiré, vos yeux me sont témoins
960 Que votre seul péril occupait tous mes soins ;
Et puisqu'il ne pouvait finir qu'avec ma vie,
C'est sans regret aussi que je la sacrifie.
Il est vrai, si le ciel eût écouté mes vœux,
Qu'il pouvait m'accorder un trépas plus heureux :
965 Vous n'en auriez pas moins épousé ma rivale ;
Vous pouviez l'assurer de la foi conjugale ;

---

1. *Disputer* : se battre pour acquérir ou conserver quelque chose.
2. *Maîtresse* : femme que l'on aime.
3. *Murmure* : proteste.

Mais vous n'auriez pas joint à ce titre d'époux
Tous ces gages d'amour qu'elle a reçus de vous.
Roxane s'estimait[1] assez récompensée,
970 Et j'aurais en mourant cette douce pensée
Que, vous ayant moi-même imposé cette loi,
Je vous ai vers Roxane envoyé plein de moi ;
Qu'emportant chez les morts toute votre tendresse,
Ce n'est point un amant en vous que je lui laisse.

BAJAZET

975 Que parlez-vous, Madame, et d'époux et d'amant ?
Ô ciel ! de ce discours, quel est le fondement ?
Qui peut vous avoir fait ce récit infidèle ?
Moi, j'aimerais Roxane, ou je vivrais pour elle,
Madame ? Ah ! croyez-vous que, loin de le penser,
980 Ma bouche seulement eût pu le prononcer ?
Mais l'un ni l'autre enfin n'était point nécessaire[2] :
La sultane a suivi son penchant ordinaire ;
Et soit qu'elle ait d'abord expliqué mon retour
Comme un gage certain qui marquait mon amour,
985 Soit que le temps trop cher[3] la pressât de se rendre,
À peine ai-je parlé que, sans presque m'entendre[4],
Ses pleurs précipités ont coupé mes discours.
Elle met dans ma main sa fortune, ses jours,
Et se fiant enfin à ma reconnaissance,
990 D'un hymen infaillible a formé l'espérance.
Moi-même, rougissant de sa crédulité,
Et d'un amour si tendre et si peu mérité,
Dans ma confusion, que Roxane, Madame,
Attribuait encore[5] à l'excès de ma flamme,

---

1. *S'estimait* : se serait estimée.
2. *Mais l'un ... nécessaire* : il n'était nécessaire ni de le penser ni de
le dire.
3. *Cher* : précieux.
4. *M'entendre* : m'écouter.
5. *Encore* : de plus, de surcroît.

995 Je me trouvais barbare, injuste, criminel.
Croyez qu'il m'a fallu, dans ce moment cruel,
Pour garder jusqu'au bout un silence perfide,
Rappeler tout l'amour que j'ai pour Atalide.
Cependant, quand je viens, après de tels efforts,
1000 Chercher quelque secours contre tous mes remords,
Vous-même contre moi je vous vois, irritée,
Reprocher votre mort à mon âme agitée[1] ;
Je vois enfin, je vois qu'en ce même moment[2]
Tout ce que je vous dis vous touche faiblement.
1005 Madame, finissons et mon trouble et le vôtre.
Ne nous affligeons point vainement l'un et l'autre.
Roxane n'est pas loin ; laissez agir ma foi ;
J'irai, bien plus content et de vous et de moi,
Détromper son amour d'une feinte forcée,
1010 Que je n'allais tantôt déguiser ma pensée.
La voici.

ATALIDE

Juste ciel ! où va-t-il s'exposer ?
Si vous m'aimez, gardez[3] de la désabuser.

_____

1. *Agitée :* troublée, tourmentée.
2. *En ce même moment :* en ce moment même.
3. *Gardez :* gardez-vous.

Acte III Scène 4

UNE SCÈNE DE DÉPIT AMOUREUX

1. En quoi le mouvement de cette scène est-il comparable à celui de la scène 2 de l'acte III ?

2. Pourquoi Bajazet parle-t-il le premier ? En quoi son entrée en matière est-elle maladroite ? Comment Atalide peut-elle interpréter les vers 941 à 946 ? Cherchez l'écho du vers 944 dans la réplique d'Atalide. Quel est le sens du « c'en est fait » du vers 941 ? Où Atalide a-t-elle employé la même expression et dans quel sens ?

3. Comment s'explique la joie de Bajazet ? À quels passages précédents vous font penser les vers 948 à 954 ?

4. Distinguez les deux parties de la réplique d'Atalide et justifiez leur ordre de présentation. Sur quel ton Atalide commence-t-elle par répondre à Bajazet ? Quel changement remarquez-vous ensuite ?

5. Montrez comment Atalide réinterprète les paroles d'Acomat à la scène 2 de l'acte III (v. 966 à 968). Rapprochez également ces vers du vers 887 de la scène 3.

6. Étudiez le pathétique de la tirade d'Atalide. Quel effet l'annonce de son intention de mourir produit-elle ? sur Bajazet ? sur le spectateur ?

LE RÉCIT VRAI DE BAJAZET

7. Comparez le récit de Bajazet à celui d'Acomat. Les deux versions de l'entrevue de Roxane et de Bajazet sont-elles conciliables ?

8. Quelle explication du revirement de Roxane Bajazet donne-t-il ? Est-elle vraisemblable ? Justifiez votre réponse.

9. Relevez les expressions qui marquent l'autosuggestion de Roxane. Contrastez-les avec celles qui indiquent la feinte. Comment expliquez-vous le passage d'un registre à l'autre ?

10. Quel est le sens des vers 996 à 998 ? À quoi sont dus les remords de Bajazet ?

SCÈNE 5. BAJAZET, ROXANE, ATALIDE.

ROXANE

Venez, Seigneur, venez : il est temps de paraître,
Et que tout le sérail reconnaisse son maître.
1015 Tout ce peuple nombreux dont il est habité,
Assemblé par mon ordre, attend ma volonté.
Mes esclaves gagnés[1], que le reste va suivre,
Sont les premiers sujets que mon amour vous livre.
L'auriez-vous cru, Madame, et qu'un si prompt retour[2]
1020 Fît à tant de fureur succéder tant d'amour ?
Tantôt, à me venger fixe[3] et déterminée,
Je jurais qu'il voyait sa dernière journée ;
À peine cependant Bajazet m'a parlé,
L'amour fit le serment, l'amour l'a violé[4].
1025 J'ai cru dans son désordre entrevoir sa tendresse :
J'ai prononcé sa grâce, et je crois sa promesse.

BAJAZET

Oui, je vous ai promis et j'ai donné ma foi
De n'oublier jamais tout ce que je vous doi[5] ;
J'ai juré que mes soins, ma juste complaisance,
1030 Vous répondront toujours de ma reconnaissance.
Si je puis à ce prix mériter vos bienfaits,
Je vais de vos bontés attendre les effets.

---

1. *Gagnés* : corrompus par des présents ou de l'argent afin qu'ils se rallient à ma cause.
2. *Retour* : changement, revirement.
3. *Fixe* : décidée, résolue.
4. *L'amour ... violé* : l'amour a violé le serment que le dépit avait inspiré à Roxane.
5. *Doi* : orthographe archaïque justifiée par la rime pour l'œil.

SCÈNE 6. ROXANE, ATALIDE.

ROXANE

De quel étonnement, ô ciel ! suis-je frappée !
Est-ce un songe ? et mes yeux ne m'ont-ils point trompée ?
1035 Quel est ce sombre accueil, et ce discours glacé
Qui semble révoquer tout ce qui s'est passé ?
Sur quel espoir croit-il que je me sois rendue,
Et qu'il ait regagné mon amitié[1] perdue ?
J'ai cru qu'il me jurait que jusques à la mort
1040 Son amour me laissait maîtresse de son sort.
Se repent-il déjà de m'avoir apaisée ?
Mais moi-même tantôt me serais-je abusée ?
Ah !... Mais il vous parlait : quels étaient ses discours,
Madame ?

ATALIDE

Moi, Madame ? Il vous aime toujours.

ROXANE

1045 Il y va de sa vie au moins[2] que je le croie,
Mais, de grâce, parmi tant de sujets de joie,
Répondez-moi, comment pouvez-vous expliquer
Ce chagrin qu'en sortant il m'a fait remarquer ?

ATALIDE

Madame, ce chagrin[3] n'a point frappé ma vue.
1050 Il m'a de vos bontés longtemps entretenue ;
Il en était tout plein quand je l'ai rencontré,
J'ai cru le voir sortir tel qu'il était entré.
Mais, Madame, après tout, faut-il être surprise
Que, tout prêt d'achever cette grande entreprise,
1055 Bajazet s'inquiète et qu'il laisse échapper

---

1. *Amitié* : amour.
2. *Au moins* : en tout cas.
3. *Chagrin* : humeur sombre, déplaisir.

Quelque marque des soins qui doivent l'occuper ?

ROXANE

Je vois qu'à l'excuser votre adresse est extrême :
Vous parlez mieux pour lui qu'il ne parle lui-même.

ATALIDE

Et quel autre intérêt...

ROXANE

Madame, c'est assez.
1060 Je conçois vos raisons mieux que vous ne pensez.
Laissez-moi : j'ai besoin d'un peu de solitude.
Ce jour me jette aussi dans quelque inquiétude.
J'ai, comme Bajazet, mon chagrin et mes soins,
Et je veux un moment y penser sans témoins.

Acte III Scènes 5 et 6

UNE SUITE DE MALADRESSES

1. Rapprochez l'entrée en scène de Roxane de celles d'Acomat à la scène 2 et de Bajazet à la scène 4. Qu'ont-elles en commun ?

2. Quelles sont les paroles de Roxane qui irritent tout particulièrement Bajazet ? Quel trait de caractère de Roxane confirment-elles ?

3. Que veut dire le ton « glacé » de Bajazet ? Ses paroles ont-elles vraiment de quoi surprendre Roxane ? Rapprochez les vers 1027 à 1032 des vers 513 à 520. A-t-il dit toute la vérité à Roxane ? En quoi continue-t-il de lui mentir ?

4. Comment s'explique la sécheresse du vers 1044 ? Quelle(s) erreur(s) commet Atalide dans sa défense de Bajazet (v. 1049 à 1056) ? À quel vers se trahit-elle surtout ?

D'UN REVIREMENT À L'AUTRE

5. En quoi les vers 1019 à 1024, qui se veulent rassurants, font-ils peser une menace sur l'avenir ? Que révèlent-ils du caractère de Roxane ?

6. Quelle est la première réaction de Roxane face au « discours glacé » de Bajazet ? Étudiez la progression de ses soupçons dans les vers 1033 à 1043. À votre avis, sur quel ton est prononcé le « Ah » du vers 1043 ? À quel moment ses soupçons se transforment-ils en certitude ?

7. Sur quels procédés stylistiques repose l'ironie de Roxane dans les vers 1061 à 1064 ? Quel sentiment masque-t-elle ?

SCÈNE 7. ROXANE, *seule.*

1065 De tout ce que je vois que faut-il que je pense ?
Tous deux à me tromper sont-ils d'intelligence[1] ?
Pourquoi ce changement, ce discours, ce départ ?
N'ai-je pas même entre eux surpris quelque regard ?
Bajazet interdit ! Atalide étonnée !
1070 Ô ciel ! à cet affront m'auriez-vous condamnée ?
De mon aveugle amour seraient-ce là les fruits ?
Tant de jours douloureux, tant d'inquiètes nuits,
Mes brigues[2], mes complots, ma trahison fatale,
N'aurais-je tout tenté que pour une rivale ?
1075 Mais peut-être qu'aussi, trop prompte à m'affliger,
J'observe de trop près un chagrin passager.
J'impute à son amour l'effet de son caprice[3].
N'eût-il pas jusqu'au bout conduit son artifice ?
Prêt à voir le succès de son déguisement[4],
1080 Quoi ! ne pouvait-il pas feindre encore un moment ?
Non, non, rassurons-nous. Trop d'amour m'intimide[5].
Et pourquoi dans son cœur redouter Atalide ?
Quel serait son dessein ? Qu'a-t-elle fait pour lui ?
Qui de nous deux enfin le couronne aujourd'hui ?
1085 Mais, hélas ! de l'amour ignorons-nous l'empire ?
Si par quelque autre charme Atalide l'attire,
Qu'importe qu'il nous doive et le sceptre et le jour ?
Les bienfaits dans un cœur balancent[6]-ils l'amour ?
Et sans chercher plus loin, quand l'ingrat me sut plaire[7],
1090 Ai-je mieux reconnu les bontés de son frère ?

---

1. *Sont-ils d'intelligence :* sont-ils d'accord.
2. *Brigues :* manœuvres politiques pour arriver au pouvoir.
3. *J'impute à son amour l'effet de son caprice :* je reproche à son amour un comportement qui est le résultat d'un caprice.
4. *Déguisement :* artifice.
5. *M'intimide :* me fait tout craindre.
6. *Balancent :* contrebalancent, font poids auprès de.
7. *Me sut plaire :* sut me plaire.

Ah ! si d'une autre chaîne il n'était point lié,
L'offre[1] de mon hymen l'eût-il tant effrayé ?
N'eût-il pas sans regret secondé[2] mon envie ?
L'eût-il refusé, même aux dépens de sa vie ?
1095 Que de justes raisons... Mais qui vient me parler ?
Que veut-on ?

SCÈNE 8. ROXANE, ZATIME.

ZATIME

  Pardonnez si j'ose vous troubler,
Mais, Madame, un esclave arrive de l'armée ;
Et, quoique sur la mer la porte fût fermée,
Les gardes sans tarder l'ont ouverte à genoux
1100 Aux ordres du sultan qui s'adressent à vous.
Mais, ce qui me surprend, c'est Orcan qu'il envoie.

ROXANE

Orcan !

ZATIME

  Oui, de tous ceux que le sultan emploie,
Orcan, le plus fidèle à servir ses desseins,
Né sous le ciel brûlant des plus noirs Africains,
1105 Madame, il vous demande avec impatience.
Mais j'ai cru vous devoir avertir par avance,
Et souhaitant surtout qu'il ne vous surprît pas,
Dans votre appartement j'ai retenu ses pas.

---

1. *L'offre* : ce terme était habituellement employé au masculin au XVIIe siècle.
2. *Secondé* : favorisé.

ROXANE

Quel malheur imprévu vient encor me confondre[1] ?
1110 Quel peut être cet ordre ? et que puis-je répondre ?
Il n'en faut point douter, le sultan inquiet
Une seconde fois condamne Bajazet.
On ne peut sur ses jours sans moi rien entreprendre :
Tout m'obéit ici. Mais dois-je le défendre ?
1115 Quel est mon empereur ? Bajazet ? Amurat ?
J'ai trahi l'un, mais l'autre est peut-être un ingrat.
Le temps presse. Que faire en ce doute funeste ?
Allons, employons bien le moment qui nous reste.
Ils ont beau se cacher, l'amour le plus discret[2]
1120 Laisse par quelque marque échapper son secret.
Observons Bajazet ; étonnons Atalide ;
Et couronnons l'amant, ou perdons[3] le perfide.

---

1. *Confondre* : troubler.
2. *Discret* : prudent, retenu.
3. *Perdons* : causons la perte de.

Acte III Scènes 7 et 8

LA LOGIQUE DE LA JALOUSIE

1. Dans la tragédie classique, le monologue sert à l'expression lyrique des sentiments du personnage. Distinguez les sentiments contradictoires qui agitent ici Roxane. Est-ce l'orgueil ou l'amour blessé qui s'exprime surtout dans les vers 1065 à 1095 ?

2. Rapprochez cette explosion de jalousie de la réaction initiale de Roxane à la scène 6 (v. 1033 à 1043). Qu'en concluez-vous ?

3. Par quelles raisons Roxane cherche-t-elle à se rassurer ? Classez ces raisons en montrant comment les éclairs de lucidité alternent avec les faux raisonnements.

4. Quelle erreur Roxane continue-t-elle de faire sur le caractère de Bajazet ?

5. Comparez ce monologue de la jalousie à celui d'Hermione dans *Andromaque* (acte V, sc. 1) et à celui de Phèdre dans *Phèdre* (acte IV, sc. 5). Qu'en concluez-vous ?

L'ART DU MONOLOGUE

6. L'introduction d'un monologue est-elle ici vraisemblable ? Comment se justifie-t-elle ? Étudiez ce monologue de Roxane. Est-il possible d'en dégager un plan ? Justifiez votre réponse.

7. Par quels procédés stylistiques se marquent le désarroi intérieur de Roxane et son incertitude sur les véritables sentiments d'Atalide et de Bajazet ?

8. Relevez les termes adversatifs utilisés par Racine. Que traduisent-ils ?

9. Les questions que Roxane se pose restent-elles sans réponse ? N'y répond-elle pas en partie par d'autres questions ? Faites la part des unes et des autres.

UN COUP DE THÉÂTRE ?

10. En quel sens peut-on dire que l'arrivée d'Orcan est une péripétie ? Était-elle vraiment inattendue ? Précisez votre réponse. Quel effet immédiat a-t-elle sur les personnages et l'action ?

11. Que décide Roxane à la fin de la scène 8 ?

Ensemble de l'acte III

LA CIRCULARITÉ BRISÉE

1. Montrez comment l'acte III est entièrement dominé par les conséquences de l'entrevue de Roxane et de Bajazet pendant l'entracte. En quel sens sa structure reproduit-elle celle de l'acte I ? En quoi cela affecte-t-il le tempo de l'action ?

2. Comparez les trois récits de cette entrevue (celui d'Acomat, celui de Bajazet et celui de Roxane). Qu'en concluez-vous ? Quel effet produit leur diversité sur Atalide ? sur le spectateur ? Que s'est-il véritablement passé ? Le sait-on avec certitude ?

3. En revient-on à la fin de l'acte III à la même situation qu'à la fin de l'acte II ? À quel moment jugez-vous au contraire qu'il y a progression ? Quels sont les facteurs de cette progression ?

4. Que représente Orcan dans la pièce ? Son arrivée permet-elle de précipiter le dénouement ? Pourquoi ?

LE MASQUE GLISSE...

5. Étudiez la progression de la jalousie dans le cœur d'Atalide. À quel autre sentiment s'oppose-t-elle ? Par quoi est-elle surtout provoquée dans cet acte ?

6. Quelle nouvelle part de responsabilité prend-elle dans la tragédie ? Pourquoi n'arrive-t-elle plus à tromper Roxane ? Est-ce sa maladresse qui la trahit ? Est-ce au contraire son habileté ? Quel est l'élément nouveau qui permet à Roxane d'y voir plus clair ?

7. Le déblocage de l'action pendant l'entracte est-il uniquement dû au talent de comédien et à l'instinct de conservation de Bajazet ? Quel aspect du caractère de Roxane met-il aussi en lumière ?

8. À la fin de l'acte, Roxane a-t-elle progressé dans la voie de la lucidité ? Quelle erreur commet-elle toujours ?

9. Comment expliquez-vous l'attitude de Bajazet à la scène 5 ? Se trahit-il volontairement ?

Rachel (1820-1858) dans le rôle de Roxane.
Musée Carnavalet, Paris.

Acte IV

SCÈNE PREMIÈRE. ATALIDE, ZAÏRE.

ATALIDE

Ah ! sais-tu mes frayeurs ? sais-tu que dans ces lieux
J'ai vu du fier[1] Orcan le visage odieux[2] ?
1125 En ce moment fatal, que je crains sa venue !
Que je crains... Mais dis-moi : Bajazet t'a-t-il vue ?
Qu'a-t-il dit ? se rend-il, Zaïre, à mes raisons ?
Ira-t-il voir Roxane et calmer ses soupçons ?

ZAÏRE

Il ne peut plus la voir sans qu'elle le commande :
1130 Roxane ainsi l'ordonne, elle veut qu'il l'attende.
Sans doute à cet esclave elle veut le cacher.
J'ai feint en le voyant de ne le point chercher.
J'ai rendu[3] votre lettre, et j'ai pris sa réponse.
Madame, vous verrez ce qu'elle vous annonce.

ATALIDE *lit* :

1135   *Après tant d'injustes détours[4],*
Faut-il qu'à feindre encor votre amour me convie ?
    Mais je veux bien prendre soin d'une vie
    Dont vous jurez que dépendent vos jours.
Je verrai la sultane ; et par ma complaisance,
1140 *Par de nouveaux serments de ma reconnaissance,*
    J'apaiserai, si je puis, son courroux.

---

1. *Fier :* farouche, sauvage.
2. *Odieux :* prononcer odi-eux.
3. *Rendu :* remis, donné.
4. *Détours :* ruses, tromperies.

N'exigez rien de plus : ni la mort, ni vous-même,
Ne me ferez jamais prononcer que je l'aime,
     Puisque jamais je n'aimerai que vous.

1145 Hélas ! Que me dit-il ? Croit-il que je l'ignore ?
Ne sais-je pas assez qu'il m'aime, qu'il m'adore ?
Est-ce ainsi qu'à mes vœux il sait s'accommoder[1] ?
C'est Roxane, et non moi, qu'il faut persuader.
De quelle crainte encor me laisse-t-il saisie !
1150 Funeste aveuglement ! Perfide jalousie !
Récit menteur, soupçons que je n'ai pu celer,
Fallait-il vous entendre, ou fallait-il parler[2] ?
C'était fait, mon bonheur surpassait mon attente ;
J'étais aimée, heureuse, et Roxane contente.
1155 Zaïre, s'il se peut, retourne sur tes pas ;
Qu'il l'apaise. Ces mots ne me suffisent pas :
Que sa bouche, ses yeux, tout l'assure qu'il l'aime ;
Qu'elle le croie enfin. Que ne puis-je moi-même,
Échauffant par mes pleurs ses soins trop languissants,
1160 Mettre dans ses discours tout l'amour que je sens !
Mais à d'autres périls je crains de le commettre[3].

ZAÏRE

Roxane vient à vous.

ATALIDE
Ah ! cachons cette lettre.

---

1. *S'accommoder* : se conformer.
2. *Fallait-il ... parler* : pourquoi fallait-il que j'écoute ce récit, ou, l'ayant écouté, pourquoi fallait-il que je donne libre cours à mes soupçons ?
3. *Commettre* : exposer.

SCÈNE 2.   ROXANE, ATALIDE, ZATIME, ZAÏRE.

ROXANE, *à Zatime.*

Viens. J'ai reçu cet ordre. Il faut l'intimider[1].

ATALIDE, *à Zaïre.*

Va, cours, et tâche enfin de le persuader.

SCÈNE 3.   ROXANE, ATALIDE, ZATIME.

ROXANE

1165 Madame, j'ai reçu des lettres de l'armée.
De tout ce qui s'y passe êtes-vous informée ?

ATALIDE

On m'a dit que du camp un esclave est venu ;
Le reste est un secret qui ne m'est pas connu.

ROXANE

Amurat est heureux, la fortune est changée,
1170 Madame, et sous ses lois Babylone est rangée.

ATALIDE

Hé quoi, Madame ? Osmin...

ROXANE

Était mal averti,
Et depuis son départ cet esclave est parti.
C'en est fait.

ATALIDE

Quel revers[2] !

---

1. *Intimider :* effrayer.
2. *Revers :* changement.

ROXANE

Pour comble de disgrâces,
Le sultan, qui l'envoie, est parti sur ses traces.

ATALIDE

1175 Quoi ? les Persans armés ne l'arrêtent donc pas ?

ROXANE

Non, Madame ; vers nous il revient à grands pas.

ATALIDE

Que je vous plains, Madame ! et qu'il est nécessaire
D'achever promptement ce que vous vouliez faire !

ROXANE

Il est tard de vouloir s'opposer au vainqueur.

ATALIDE

1180 Ô ciel !

ROXANE

Le temps n'a point adouci sa rigueur.
Vous voyez dans mes mains sa volonté suprême.

ATALIDE

Et que vous mande-t-il[1] ?

ROXANE

Voyez : lisez vous-même.
Vous connaissez, Madame, et la lettre[2] et le sein[3].

ATALIDE

Du cruel Amurat je reconnais la main.

---

1. *Que vous mande-t-il* : que vous ordonne-t-il de faire (ou que vous écrit-il).
2. *Lettre* : écriture.
3. *Sein* : signature (« sein » pouvait également s'écrire « seing »).

(Elle lit.)

1185 *Avant que Babylone éprouvât[1] ma puissance,*
Je vous ai fait porter mes ordres absolus.
Je ne veux point douter de votre obéissance,
Et crois que maintenant Bajazet ne vit plus.
Je laisse sous mes lois Babylone asservie,
1190 *Et confirme en partant mon ordre souverain.*
Vous, si vous avez soin de votre propre vie,
Ne vous montrez à moi que sa tête à la main.

ROXANE

Eh bien ?

ATALIDE

Cache tes pleurs, malheureuse Atalide[2].

ROXANE

Que vous semble ?

ATALIDE

Il poursuit son dessein parricide[3].
1195 Mais il pense proscrire un prince sans appui :
Il ne sait pas l'amour qui vous parle pour lui,
Que vous et Bajazet vous ne faites qu'une âme,
Que plutôt, s'il le faut, vous mourrez...

ROXANE

Moi, Madame ?
Je voudrais le sauver, je ne le puis haïr[4] ;
1200 Mais...

---

1. *Éprouvât* : fît l'expérience de, connût.
2. *Cache tes pleurs, malheureuse Atalide* : ce vers d'Atalide doit être dit en aparté. L'édition de 1736 de la pièce ajoute d'ailleurs la didascalie « à part » après le nom du personnage.
3. *Parricide* : se dit de tout crime ou de toute personne tuant un proche parent.
4. *Je ne le puis haïr* : je ne puis le haïr.

ATALIDE

Quoi donc ? Qu'avez-vous résolu ?

ROXANE

D'obéir.

ATALIDE

D'obéir !

ROXANE

Et que faire en ce péril extrême ?
Il le faut.

ATALIDE

Quoi ! ce prince aimable... qui vous aime,
Verra finir ses jours qu'il vous a destinés !

ROXANE

Il le faut ; et déjà mes ordres sont donnés.

ATALIDE

1205 Je me meurs.

ZATIME

Elle tombe, et ne vit plus qu'à peine.

ROXANE

Allez, conduisez-la dans la chambre prochaine[1] ;
Mais au moins observez ses regards, ses discours,
Tout ce qui convaincra[2] leurs perfides amours.

---

1. *Prochaine :* proche, voisine (« prochain » a au XVIIe siècle un emploi
spatial comme un emploi temporel).
2. *Convaincra :* prouvera, rendra manifestes.

Acte IV Scènes 1, 2 et 3

LE STRATAGÈME DE LA LETTRE

1. Que s'est-il passé pendant l'entracte ? Quelle est maintenant la situation de Bajazet ? Les faits et gestes de Zaïre vous paraissent-ils vraisemblables ?

2. Le contenu de la lettre de Bajazet vous surprend-il de sa part ? Comparez ce texte aux paroles qu'il adresse à Roxane à la scène 5 de l'acte III (v. 1027 à 1032). À quoi se refuse-t-il toujours ? Quelle maladresse suprême commet-il dans cette lettre ?

LA FEINTE DE ROXANE
OU LA TROMPÉE TROMPEUSE

3. En quoi consiste la feinte de Roxane à la scène 3 ? Quel sentiment la pousse à feindre ? Qu'espère-t-elle en retirer ?

4. Comparez cette feinte avec celle de Mithridate par exemple (*Mithridate,* acte III, sc. 5). Les motivations des personnages sont-elles les mêmes ? Avec quels sentiments de leur victime jouent-ils ?

5. Sur quel ton Roxane commence-t-elle l'entretien avec Atalide ? Pourquoi ? Quelle est ensuite la progression de ses révélations à Atalide ? Quel effet produit-elle ? Où se situe l'annonce fatale ?

6. Analysez le dialogue entre les deux femmes. Qu'a-t-il de particulier par rapport au reste de la pièce ?

LE DÉSARROI D'ATALIDE

7. Dans quel état d'esprit se trouve Atalide à la fin de la scène 1 ? Quelle part de responsabilité accepte-t-elle dans la situation ? Quels reproches adresse-t-elle à Bajazet ?

8. Étudiez l'évolution rapide de ses sentiments dans la scène 3.

9. Quelles maladresses commet-elle devant Roxane ? Dans quelle mesure se trahit-elle ?

10. Quelle est la seule explication possible de l'évanouissement d'Atalide ? Roxane la voit-elle ?

SCÈNE 4. ROXANE, *seule.*

Ma rivale à mes yeux s'est enfin déclarée.
1210 Voilà sur quelle foi je m'étais assurée !
Depuis six mois entiers j'ai cru que, nuit et jour,
Ardente[1], elle veillait au soin de mon amour ;
Et c'est moi qui du sien ministre[2] trop fidèle,
Semble depuis six mois ne veiller que pour elle,
1215 Qui me suis appliquée à chercher les moyens
De lui faciliter tant d'heureux entretiens,
Et qui même, souvent, prévenant son envie,
Ai hâté les moments les plus doux de sa vie.
Ce n'est pas tout : il faut maintenant m'éclaircir
1220 Si[3] dans sa perfidie elle a su réussir ;
Il faut... Mais que pourrais-je apprendre davantage ?
Mon malheur n'est-il pas écrit sur son visage ?
Vois-je pas, au travers de son saisissement[4],
Un cœur dans ses douleurs content de son amant ?
1225 Exempte des soupçons dont je suis tourmentée,
Ce n'est que pour ses jours qu'elle est épouvantée.
N'importe. Poursuivons. Elle peut, comme moi,
Sur des gages[5] trompeurs s'assurer de sa foi[6].
Pour le faire expliquer[7], tendons-lui quelque piège.
1230 Mais quel indigne emploi moi-même m'imposé-je ?
Quoi donc ? à me gêner[8] appliquant mes esprits,
J'irais faire à mes yeux éclater[9] ses mépris ?
Lui-même il peut prévoir et tromper mon adresse.

---

1. *Ardente :* empressée, zélée.
2. *Ministre :* agent d'exécution.
3. *Si :* pour savoir si.
4. *Saisissement :* violente émotion, bouleversement.
5. *Gages :* marques, témoignages.
6. *Sa foi :* la foi de Bajazet.
7. *Pour le faire expliquer :* pour le faire s'expliquer.
8. *Gêner :* torturer, tourmenter (se dit à la fois de l'esprit et du corps).
9. *Faire [...] éclater :* révéler au grand jour.

D'ailleurs, l'ordre, l'esclave, et le vizir me presse[1].
1235 Il faut prendre parti[2], l'on m'attend. Faisons mieux :
Sur tout ce que j'ai vu fermons plutôt les yeux ;
Laissons de leur amour la recherche importune ;
Poussons à bout l'ingrat, et tentons la fortune ;
Voyons si, par mes soins sur le trône élevé,
1240 Il osera trahir l'amour qui l'a sauvé,
Et si, de mes bienfaits lâchement libérale[3],
Sa main en osera couronner ma rivale.
Je saurai bien toujours retrouver le moment
De punir, s'il le faut, la rivale et l'amant.
1245 Dans ma juste fureur observant le perfide,
Je saurai le surprendre avec son Atalide,
Et d'un même poignard les unissant tous deux,
Les percer l'un et l'autre, et moi-même après eux.
Voilà, n'en doutons point, le parti qu'il faut prendre.
1250 Je veux tout ignorer.

SCÈNE 5.   ROXANE, ZATIME.

ROXANE

Ah ! que viens-tu m'apprendre,
Zatime ? Bajazet en est-il amoureux ?
Vois-tu dans ses discours qu'ils s'entendent tous deux ?

ZATIME

Elle n'a point parlé. Toujours évanouie,
Madame, elle ne marque aucun reste de vie

---

1. *Me presse* : me pressent ; l'accord se fait ici avec le sujet le plus rapproché.
2. *Prendre parti* : prendre une décision.
3. *Libérale* : prodigue.

1255 Que par de longs soupirs et des gémissements,
Qu'il semble que son cœur va suivre à tous moments.
Vos femmes, dont le soin à l'envi[1] la soulage,
Ont découvert son sein pour leur[2] donner passage.
Moi-même, avec ardeur secondant ce dessein,
1260 J'ai trouvé ce billet enfermé dans son sein.
Du prince votre amant j'ai reconnu la lettre,
Et j'ai cru qu'en vos mains je devais le remettre.

ROXANE

Donne... Pourquoi frémir ? et quel trouble soudain
Me glace à cet objet et fait trembler ma main ?
1265 Il peut l'avoir écrit sans m'avoir offensée ;
Il peut même... Lisons, et voyons sa pensée :
.... ni la mort, ni vous-même,
Ne me ferez jamais prononcer que je l'aime,
Puisque jamais je n'aimerai que vous.
1270 Ah ! de la trahison me voilà donc instruite !
Je reconnais l'appas[3] dont ils m'avaient séduite[4].
Ainsi donc[5] mon amour était récompensé,
Lâche, indigne du jour que je t'avais laissé !
Ah ! je respire enfin ; et ma joie est extrême
1275 Que le traître une fois se soit trahi lui-même.
Libre des soins cruels où j'allais m'engager,
Ma tranquille fureur n'a plus qu'à se venger.
Qu'il meure. Vengeons-nous. Courez : qu'on le saisisse,
Que la main des muets s'arme pour son supplice,
1280 Qu'ils viennent préparer ces nœuds[6] infortunés
Par qui[7] de ses pareils les jours sont terminés.

---

1. *À l'envi* : à qui mieux mieux.
2. « Leur » renvoie à « soupirs » et « gémissements ».
3. *Appas* : ce qui sert à attirer quelqu'un dans un piège (« appât » en français moderne).
4. *Séduite* : trompée.
5. *Ainsi donc* : c'est donc ainsi que.
6. *Nœuds* : lacets servant à étrangler ceux qu'on exécute.
7. *Par qui* : par lesquels.

Silvia Monfort (Roxane) et Christiane Carpentier (Zatime).
Mise en scène de Dominique Delouche.
Carré Silvia Monfort, 1985.

Cours, Zatime, sois prompte à servir ma colère.

ZATIME

Ah, madame !

ROXANE

Quoi donc ?

ZATIME

Si, sans trop vous déplaire,
Dans les justes transports, Madame, où je vous vois,
1285 J'osais vous faire entendre une timide voix :
Bajazet, il est vrai, trop indigne de vivre,
Aux mains de ces cruels mérite qu'on le livre ;
Mais, tout ingrat qu'il est, croyez-vous aujourd'hui
Qu'Amurat ne soit pas plus à craindre que lui ?
1290 Et qui sait si déjà quelque bouche infidèle[1]
Ne l'a point averti de votre amour nouvelle ?
Des cœurs comme le sien, vous le savez assez,
Ne se regagnent plus quand ils sont offensés,
Et la plus prompte mort, dans ce moment sévère[2],
1295 Devient de leur amour la marque la plus chère[3].

ROXANE

Avec quelle insolence et quelle cruauté
Ils se jouaient tous deux de ma crédulité !
Quel penchant, quel plaisir je sentais à les croire !
Tu ne remportais pas une grande victoire,
1300 Perfide, en abusant ce cœur préoccupé[4],
Qui lui-même craignait de se voir détrompé !
Moi, qui de ce haut rang qui me rendait si fière,
Dans le sein du malheur t'ai cherché la première,

---

1. *Infidèle* : qui a trahi votre secret.
2. *Sévère* : cruel.
3. *Et la plus prompte mort ... la marque la plus chère* : la mort la plus prompte est le témoignage d'amour qu'ils apprécient le plus.
4. *Préoccupé* : prévenu.

Pour attacher des jours tranquilles, fortunés[1],
1305 Aux périls dont tes jours étaient environnés,
Après tant de bonté, de soin, d'ardeurs extrêmes,
Tu ne saurais jamais prononcer[2] que tu m'aimes !
Mais dans quel souvenir me laissé-je égarer ?
Tu pleures, malheureuse ? Ah ! tu devais pleurer
1310 Lorsque, d'un vain désir à ta perte poussée,
Tu conçus de le voir la première pensée.
Tu pleures ? et l'ingrat, tout prêt à te trahir,
Prépare les discours dont il veut t'éblouir ;
Pour plaire à ta rivale, il prend soin de sa vie.
1315 Ah, traître ! tu mourras !... Quoi ? tu n'es point partie ?
Va. Mais nous-même, allons, précipitons nos pas :
Qu'il me voie, attentive au soin de son trépas,
Lui montrer à la fois, et l'ordre de son frère,
Et de sa trahison ce gage trop sincère[3].
1320 Toi, Zatime, retiens ma rivale en ces lieux.
Qu'il n'ait en expirant que ses cris pour adieux.
Qu'elle soit cependant fidèlement servie ;
Prends soin d'elle : ma haine a besoin de sa vie.
Ah ! si pour son amant facile à s'attendrir,
1325 La peur de son trépas la fit presque mourir,
Quel surcroît de vengeance et de douceur nouvelle
De le montrer bientôt pâle et mort devant elle,
De voir sur cet objet[4] ses regards arrêtés
Me payer les plaisirs que je leur ai prêtés !
1330 Va, retiens-la. Surtout garde bien le silence.
Moi... Mais qui vient ici différer ma vengeance ?

---

1. *Fortunés :* favorisés par le sort.
2. *Prononcer :* dire publiquement, déclarer.
3. *Ce gage trop sincère :* la lettre de Bajazet à Atalide.
4. *Objet :* ce qui est exposé à la vue (« objet » pouvait se dire des personnes dans la langue classique et avait souvent le sens d'« être cher »).

Acte IV Scènes 4 et 5

UNE CRÉDULITÉ À TOUTE ÉPREUVE (sc. 4)

1. Rapprochez ce monologue de Roxane du monologue de la scène 7 de l'acte III. Que remarquez-vous ?

2. Étudiez sa composition en distinguant les étapes par lesquelles passent les sentiments de Roxane. À quoi aboutit-il ?

3. Quelle est la première réaction de Roxane devant la confirmation de ses soupçons (v. 1209 à 1218) ? Qu'a-t-elle de surprenant ? Qu'est-ce qui sauve du ridicule le rôle que Bajazet et Atalide ont fait jouer dans le passé à Roxane ?

4. La longue crédulité de Roxane était-elle vraisemblable ? Justifiez votre réponse.

5. Que sait-elle maintenant ? Que lui reste-t-il à apprendre (v. 1219 à 1226) ? Ne saisit-elle pas instinctivement la vérité cachée ?

6. Quelles raisons invoque-t-elle finalement pour ne pas chercher à connaître toute la vérité ? Sur quoi repose en fait sa répugnance à sonder les sentiments véritables de Bajazet ?

7. Montrez comment les mots mêmes que Roxane emploie trahissent la fragilité et le caractère spécieux de ses raisonnements.

8. Quel parti décide-t-elle de prendre en définitive ? Est-il réaliste ? possible même ? Pourquoi ?

9. En quel sens ce parti est-il dans la logique du caractère de Roxane ? Contribue-t-il à faire d'elle un personnage tragique ? Quel effet produit-il sur le spectateur ?

LA DERNIÈRE PÉRIPÉTIE (sc. 5)

1. Pourquoi la question que Roxane pose à Zatime est-elle en contradiction avec la décision qu'elle vient de prendre (v. 1250 à 1252) ?

2. Quels détours emploie Zatime pour ne pas répondre directement à la question de Roxane (v. 1253 à 1262) ?

3. Étudiez les réactions successives de Roxane à la lecture de la lettre (v. 1263 à 1282).

4. Le procédé de la lettre a été jugé comme un « artifice bien mesquin ». Partagez-vous cette opinion ? Pourquoi était-il malgré tout nécessaire à l'intrigue ? En quel sens constitue-t-il la dernière péripétie ? Quel effet produit-il sur l'action et les personnages ?

VENGEANCE ET CRUAUTÉ : LE MONOLOGUE DEVANT LE CONFIDENT

5. Dégagez la composition du monologue de Roxane et analysez-en le mouvement (v. 1296 à 1331). Où se situe l'articulation des deux grandes parties qui le composent ? En quoi celles-ci s'opposent-elles ?

6. Distinguez les divers sentiments qui animent Roxane.

7. Montrez la prise de conscience progressive par Roxane de sa propre responsabilité (v. 1296 à 1311) ? Y a-t-il eu erreur ou faute de sa part ?

8. En quoi le projet de vengeance de Roxane est-il tout particulièrement cruel (v. 1316 à 1331) ? Quel terme psychanalytique pourriez-vous appliquer au comportement de Roxane ?

9. Étudiez le jeu des pronoms personnels dans le monologue de Roxane. Quelle impression contribue-t-il à donner ? Comparez-le à celui de sa première tirade (v. 1264 à 1282).

10. Relevez les termes utilisés par Roxane pour parler de Bajazet. À quel registre appartiennent-ils surtout ?

SCÈNE 6. ROXANE, ACOMAT, OSMIN.

ACOMAT

Que faites-vous, Madame ? En quels retardements
D'un jour si précieux perdez-vous les moments ?
Byzance, par mes soins presque entière assemblée,
1335 Interroge ses chefs, de leur crainte troublée ;
Et tous, pour s'expliquer, ainsi que mes amis,
Attendent le signal[1] que vous m'aviez promis.
D'où vient que, sans répondre à leur impatience,
Le sérail cependant garde un triste silence ?
1340 Déclarez-vous, Madame, et sans plus différer...

ROXANE

Oui, vous serez content, je vais me déclarer.

ACOMAT

Madame, quel regard, et quelle voix sévère,
Malgré votre discours, m'assurent du contraire ?
Quoi ! déjà votre amour, des obstacles vaincu...[2]

ROXANE

1345 Bajazet est un traître, et n'a que trop vécu.

ACOMAT

Lui !

ROXANE

Pour moi, pour vous-même, également perfide,
Il nous trompait tous deux.

ACOMAT
Comment ?

---

1. *Signal* : étendard du prophète Mahomet que l'on déployait en signe de grand danger.
2. *Des obstacles vaincu* : vaincu par les obstacles.

ROXANE

Cette Atalide,

Qui même n'était pas un assez digne prix
De tout ce que pour lui vous avez entrepris...

ACOMAT

1350 Eh bien ?

ROXANE

Lisez. Jugez, après cette insolence,
Si nous devons d'un traître embrasser[1] la défense.
Obéissons plutôt à la juste rigueur
D'Amurat qui s'approche et retourne vainqueur ;
Et livrant sans regret un indigne complice,
1355 Apaisons le sultan par un prompt sacrifice.

ACOMAT, *lui rendant le billet.*

Oui, puisque jusque-là l'ingrat m'ose outrager,
Moi-même, s'il le faut, je m'offre à vous venger,
Madame. Laissez-moi nous laver l'un et l'autre
Du crime[2] que sa vie a jeté sur la nôtre.
1360 Montrez-moi le chemin, j'y cours.

ROXANE

Non, Acomat.

Laissez-moi le plaisir de confondre[3] l'ingrat.
Je veux voir son désordre, et jouir de sa honte.
Je perdrais ma vengeance en la rendant si prompte.
Je vais tout préparer. Vous, cependant, allez
1365 Disperser promptement vos amis assemblés.

---

1. *Embrasser* : nous charger de.
2. *Crime* : accusation.
3. *Confondre* : démasquer quelqu'un, le réduire au silence en lui prouvant ses torts.

139

SCÈNE 7. ACOMAT, OSMIN.

ACOMAT

Demeure. Il n'est pas temps, cher Osmin, que je sorte.

OSMIN

Quoi ! jusque-là, Seigneur, votre amour vous transporte ?
N'avez-vous pas poussé la vengeance assez loin ?
Voulez-vous de sa mort être encor[1] le témoin ?

ACOMAT

1370 Que veux-tu dire ? Es-tu toi-même si crédule
Que de me soupçonner d'un courroux ridicule ?
Moi, jaloux ? Plût au ciel qu'en me manquant de foi,
L'imprudent Bajazet n'eût offensé que moi !

OSMIN

Et pourquoi donc, Seigneur, au lieu de le défendre...

ACOMAT

1375 Et la sultane est-elle en état de m'entendre ?
Ne voyais-tu pas bien, quand je l'allais trouver,
Que j'allais avec lui me perdre, ou me sauver ?
Ah ! de tant de conseils[2] événement sinistre !
Prince aveugle ! ou plutôt trop aveugle ministre !
1380 Il te sied bien d'avoir en de si jeunes mains,
Chargé d'ans et d'honneurs, confié tes desseins,
Et laissé d'un vizir la fortune flottante
Suivre de ces amants la conduite imprudente.

OSMIN

Hé ! laissez-les entre eux exercer leur courroux.
1385 Bajazet veut périr ; Seigneur, songez à vous.

---

1. *Encor* : en plus (l'orthographe du mot était très souple dans la langue classique, notamment en poésie quand il s'agissait d'obtenir le nombre de syllabes requises dans un vers).
2. *Conseils* : projets, desseins.

Qui peut de vos desseins révéler le mystère,
Sinon quelques amis engagés à se taire ?
Vous verrez par sa mort le sultan adouci.

ACOMAT

Roxane en sa fureur peut raisonner ainsi.
1390 Mais moi, qui vois plus loin, qui par un long usage[1]
Des maximes du trône ai fait l'apprentissage,
Qui d'emplois en emplois vieilli sous trois sultans,
Ai vu de mes pareils les malheurs éclatants,
Je sais, sans me flatter, que de sa seule audace
1395 Un homme tel que moi doit attendre sa grâce,
Et qu'une mort sanglante est l'unique traité
Qui reste entre l'esclave et le maître irrité.

OSMIN

Fuyez donc.

ACOMAT

J'approuvais tantôt cette pensée :
Mon entreprise alors était moins avancée.
1400 Mais il m'est désormais trop dur de reculer.
Par une belle chute il faut me signaler,
Et laisser un débris[2] du moins après ma fuite,
Qui de mes ennemis retarde la poursuite.
Bajazet vit encor. Pourquoi nous étonner ?
1405 Acomat de plus loin a su le ramener.
Sauvons-le malgré lui de ce péril extrême,
Pour nous, pour nos amis, pour Roxane elle-même.
Tu vois combien son cœur, prêt à le protéger,
A retenu mon bras trop prompt à la venger.
1410 Je connais peu l'amour ; mais j'ose te répondre[3]
Qu'il n'est pas condamné, puisqu'on le veut confondre,

1. *Usage :* pratique, habitude.
2. *Débris :* ruines.
3. *J'ose te répondre :* je te garantis.

Que nous avons du temps. Malgré son désespoir,
Roxane l'aime encore, Osmin, et le va voir[1].

OSMIN

Enfin que vous inspire une si noble audace ?
1415 Si Roxane l'ordonne, il faut quitter la place ;
Ce palais est tout plein...

ACOMAT

     Oui, d'esclaves obscurs[2],
Nourris[3] loin de la guerre, à l'ombre de ses murs.
Mais toi, dont la valeur d'Amurat oubliée,
Par de communs chagrins à mon sort s'est liée,
1420 Voudras-tu jusqu'au bout seconder mes fureurs ?

OSMIN

Seigneur, vous m'offensez : si vous mourez, je meurs.

ACOMAT

D'amis et de soldats une troupe hardie
Aux portes du palais attend notre sortie ;
La sultane d'ailleurs se fie à mes discours.
1425 Nourri dans le sérail, j'en connais les détours[4] ;
Je sais de Bajazet l'ordinaire demeure :
Ne tardons plus, marchons ; et s'il faut que je meure,
Mourons ; moi, cher Osmin, comme un vizir, et toi,
Comme le favori d'un homme tel que moi.

---

1. *Le va voir* : va le voir.
2. *Obscurs* : insignifiants.
3. *Nourris* : élevés.
4. *Détours* : au sens propre ici ; le sérail est un véritable labyrinthe.

Acte IV Scènes 6 et 7

UNE COURSE DE VITESSE

1. Le retour d'Acomat : depuis quand n'a-t-il pas paru sur scène ? D'après vous, qu'a-t-il fait pendant son absence ? Pourquoi reparaît-il dans le sérail ? En quoi ses préoccupations s'opposent-elles à celles des autres personnages ?

2. Que propose-t-il de faire à Roxane (v. 1356 à 1360) ? Qui est dupe de cette offre, Roxane, Osmin ou le spectateur ?

3. Comment expliquez-vous le refus de Roxane de laisser faire Acomat (v. 1361 à 1365) ? Que propose-t-elle de faire à sa place ?

4. Quel est finalement le plan d'Acomat ? À quel autre plan vous fait-il penser ? A-t-il des chances de succès ?

LUCIDITÉ ET RECONNAISSANCE

5. Quelle était l'erreur qui jusqu'à présent faisait échec au plan d'Acomat ? Acomat reconnaît-il maintenant son aveuglement ? Qui en rend-il responsable (v. 1375 à 1383) ?

6. En quoi son analyse de la situation politique est-elle juste (v. 1389 à 1397) ? Pourquoi Acomat refuse-t-il de fuir (v. 1398 à 1405) ? Quel trait de caractère révèle ce refus ?

7. Acomat a-t-il bien deviné les sentiments profonds de Roxane (v. 1408 à 1413) ? Quel effet cela produit-il sur l'esprit du spectateur ?

Ensemble de l'acte IV

LA « CRISTALLISATION DRAMATIQUE »

1. Quelles ont été les conséquences de l'arrivée d'Orcan ? Quelle influence a-t-elle eu en particulier sur les projets de Roxane ?

2. À quels partis s'est successivement rangée Roxane au cours de l'acte ? Que révèlent-ils ? Faites ressortir l'ambivalence du comportement de Roxane en montrant comment tous ses efforts ont en définitive pour but de donner une dernière chance à Bajazet, qu'elle vient pourtant de condamner.

3. Sa décision de faire tuer Bajazet à la scène 5 est-elle irrévocable et la mort de Bajazet inévitable ? Celui-ci ne peut-il pas encore être sauvé ? Qu'est-ce qui le laisserait espérer ? Qu'apporte en outre l'absence de Bajazet au climat de l'acte ?

4. Tous les éléments sont-ils en place pour le dénouement ? Reste-t-il encore une inconnue ?

5. Qui vous paraît contrôler maintenant la situation ? Quel personnage a-t-on tendance à oublier ? En quoi est-ce inquiétant ?

LA TRAGÉDIE DE ROXANE

6. Analysez le développement et les manifestations de la jalousie de Roxane, ses liens avec la haine et la cruauté. Rapprochez ce comportement de celui d'Hermione dans *Andromaque* et de celui de Phèdre dans la tragédie du même nom.

7. En quel sens *Bajazet* est-il aussi la tragédie de Roxane ? Étudiez le passage de l'illusion et de l'aveuglement volontaires à l'illumination chez Roxane. Atteint-elle la pleine lucidité à la fin de l'acte ?

Acte V

SCÈNE PREMIÈRE. ATALIDE, *seule.*

1430 Hélas ! je cherche en vain : rien ne s'offre à ma vue.
Malheureuse ! Comment puis-je l'avoir perdue[1] ?
Ciel, aurais-tu permis que mon funeste amour
Exposât mon amant tant de fois en un jour ?
Que pour dernier malheur, cette lettre fatale
1435 Fût encor parvenue aux yeux de ma rivale ?
J'étais en ce lieu même, et ma timide main,
Quand Roxane a paru, l'a cachée en mon sein[2].
Sa présence a surpris mon âme désolée[3] ;
Ses menaces, sa voix, un ordre m'a troublée[4],
1440 J'ai senti défaillir ma force et mes esprits.
Ses femmes m'entouraient quand je les ai repris ;
À mes yeux étonnés leur troupe est disparue[5].
Ah ! trop cruelles mains qui m'avez secourue,
Vous m'avez vendu cher vos secours inhumains,
1445 Et par vous cette lettre a passé dans ses mains.
Quels desseins maintenant occupent sa pensée ?
Sur qui sera d'abord sa vengeance exercée ?
Quel sang pourra suffire à son ressentiment ?
Ah ! Bajazet est mort, ou meurt en ce moment.
1450 Cependant on m'arrête, on me tient enfermée.
On ouvre ; de son sort je vais être informée.

---

1. *L'avoir perdue* : « l' » renvoie à la lettre de Bajazet.
2. *En mon sein* : dans mon corsage.
3. *Désolée* : affligée.
4. *M'a troublée* : m'ont troublée (accord avec le sujet le plus rapproché).
5. *Est disparue* : on attendrait « a disparu » en français moderne, puisqu'il s'agit d'un procès, d'une action en cours de réalisation et non de son résultat.

SCÈNE 2.   ROXANE, ATALIDE, ZATIME.

ROXANE

Retirez-vous.

ATALIDE

Madame... excusez l'embarras...[1]

ROXANE

Retirez-vous, vous dis-je, et ne répliquez pas.
Gardes, qu'on la retienne.

SCÈNE 3.   ROXANE, ZATIME.

ROXANE

Oui, tout est prêt, Zatime.
1455 Orcan et les muets attendent leur victime.
Je suis pourtant toujours maîtresse de son sort.
Je puis le retenir. Mais s'il sort, il est mort.
Vient-il ?

ZATIME

Oui, sur mes pas un esclave l'amène ;
Et loin de soupçonner sa disgrâce prochaine,
1460 Il m'a paru, Madame, avec empressement
Sortir, pour vous chercher, de son appartement.

ROXANE

Âme lâche, et trop digne enfin d'être déçue[2],
Peux-tu souffrir encor qu'il paraisse à ta vue ?
Crois-tu par tes discours le vaincre ou l'étonner ?

1. *Embarras* : tracas.
2. *Déçue* : trompée.

1465 Quand même il se rendrait, peux-tu lui pardonner ?
Quoi ! ne devrais-tu pas être déjà vengée ?
Ne crois-tu pas encore être assez outragée ?
Sans perdre tant d'efforts sur ce cœur endurci,
Que ne le laissons-nous périr ?... Mais le voici.

Acte V Scènes 1, 2 et 3

DES SCÈNES D'UTILITÉ DRAMATIQUE

1. Que vient faire Atalide sur scène à l'acte V ? Qu'est-il advenu d'elle depuis son évanouissement ? A-t-elle pu prévenir Bajazet ? Pourquoi ?

2. Dans quel état d'esprit paraît-elle sur scène ? Relevez les expressions et les figures de style qui marquent son affolement (v. 1430 à 1451). Est-elle consciente de sa culpabilité ? ou du moins de sa responsabilité ? Précisez votre réponse.

3. Roxane a-t-elle fini par prendre une décision ? Laquelle ? Qu'attend-elle de cette entrevue avec Bajazet ?

4. Quelle image d'elle-même Roxane donne-t-elle à la scène 3 (v. 1462 à 1469) ? Dans quelle mesure cette image confirme-t-elle le jugement d'Acomat à l'acte précédent ?

5. Montrez à quoi tient l'absurdité de sa situation. S'en rend-elle compte ?

6. Quelle est l'utilité dramatique de ces trois scènes ? Quel effet visent-elles à produire sur le spectateur ?

L'EXTÉRIEUR ET LA MORT

7. En quoi le resserrement du lieu apparaît-il maintenant comme tout particulièrement tragique ?

8. Quel vers de la scène 3 établit un lien direct entre l'extérieur et la mort ? Notez l'analogie de cette situation avec celle de *Polyeucte* (V, 1, v. 1488 à 1490). Corneille en tire-t-il le même parti ?

SCÈNE 4. BAJAZET, ROXANE.

ROXANE

1470 Je ne vous ferai point des reproches frivoles :
Les moments sont trop chers pour les perdre en paroles.
Mes soins vous sont connus : en un mot, vous vivez,
Et je ne vous dirais que ce que vous savez.
Malgré tout mon amour, si je n'ai pu vous plaire,
1475 Je n'en murmure point ; quoiqu'à ne vous rien taire,
Ce même amour peut-être, et ces mêmes bienfaits,
Auraient dû suppléer à mes faibles attraits.
Mais je m'étonne enfin que, pour reconnaissance,
Pour prix de tant d'amour, de tant de confiance,
1480 Vous ayez si longtemps, par des détours si bas,
Feint un amour pour moi que vous ne sentiez pas.

BAJAZET

Qui ? moi, Madame ?

ROXANE

Oui, toi. Voudrais-tu point encore
Me nier un mépris que tu crois que j'ignore ?
Ne prétendrais-tu point, par tes fausses couleurs[1],
1485 Déguiser[2] un amour qui te retient ailleurs,
Et me jurer enfin, d'une bouche perfide,
Tout ce que tu ne sens que pour ton Atalide ?

BAJAZET

Atalide, Madame ! Ô ciel ! qui vous a dit...

ROXANE

Tiens, perfide, regarde, et démens cet écrit.

---

1. *Couleurs* : raisons apparentes dont on se sert pour couvrir et pallier
un mensonge.
2. *Déguiser* : cacher, dissimuler.

Bajazet

1490 Je ne vous dis plus rien. Cette lettre sincère
D'un malheureux amour contient tout le mystère ;
Vous savez un secret que, tout prêt à s'ouvrir,
Mon cœur a mille fois voulu vous découvrir.
J'aime, je le confesse, et devant que[1] votre âme,
1495 Prévenant mon espoir[2], m'eût déclaré sa flamme,
Déjà plein d'un amour dès l'enfance formé,
À tout autre désir mon cœur était fermé.
Vous me vîntes offrir et la vie et l'empire,
Et même votre amour, si j'ose vous le dire,
1500 Consultant vos bienfaits, les crut, et sur leur foi[3],
De tous mes sentiments vous répondit pour moi.
Je connus[4] votre erreur. Mais que pouvais-je faire ?
Je vis en même temps qu'elle vous était chère.
Combien le trône tente un cœur ambitieux !
1505 Un si noble présent me fit ouvrir les yeux.
Je chéris, j'acceptai, sans tarder davantage,
L'heureuse occasion de sortir d'esclavage,
D'autant plus qu'il fallait l'accepter ou périr ;
D'autant plus que vous-même, ardente à me l'offrir,
1510 Vous ne craigniez rien tant que d'être refusée ;
Que même mes refus vous auraient exposée ;
Qu'après avoir osé me voir et me parler,
Il était dangereux pour vous de reculer.
Cependant, je n'en veux pour témoins que vos plaintes :
1515 Ai-je pu vous tromper par des promesses feintes ?
Songez combien de fois vous m'avez reproché
Un silence témoin de mon trouble caché.

---

1. *Devant que* : avant que.
2. *Prévenant mon espoir* : devançant, allant au-devant de mon espoir. Cet espoir est celui de sa liberté.
3. *Et même votre amour ... sur leur foi* : se fiant au pouvoir de ses bienfaits, Roxane a cru son propre amour payé de retour.
4. *Je connus* : je m'aperçus de.

Plus l'effet de vos soins et ma gloire étaient proches,
Plus mon cœur interdit se faisait de reproches.
1520 Le ciel, qui m'entendait, sait bien qu'en même temps
Je ne m'arrêtais pas à des vœux impuissants ;
Et si l'effet[1] enfin, suivant mon espérance,
Eût ouvert un champ libre à ma reconnaissance,
J'aurais, par tant d'honneurs, par tant de dignités,
1525 Contenté[2] votre orgueil et payé vos bontés,
Que vous-même peut-être...

ROXANE

                    Et que pourrais-tu faire ?
Sans l'offre de ton cœur, par où peux-tu me plaire ?
Quels seraient de tes vœux les inutiles fruits ?
Ne te souvient-il plus de tout ce que je suis ?
1530 Maîtresse du sérail, arbitre de ta vie,
Et même de l'État, qu'Amurat me confie,
Sultane, et ce qu'en vain j'ai cru trouver en toi,
Souveraine d'un cœur[3] qui n'eût aimé que moi :
Dans ce comble de gloire où je suis arrivée,
1535 À quel indigne honneur m'avais-tu réservée ?
Traînerais-je en ces lieux un sort infortuné,
Vil rebut d'un ingrat que j'aurais couronné,
De mon rang descendue, à mille autres égale,
Ou la première esclave enfin de ma rivale ?
1540 Laissons ces vains discours ; et sans m'importuner,
Pour la dernière fois, veux-tu vivre et régner ?
J'ai l'ordre d'Amurat, et je puis t'y soustraire.
Mais tu n'as qu'un moment : parle.

BAJAZET

                    Que faut-il faire ?

---

1. *L'effet* : la réalisation de mes vœux.
2. *Contenté* : satisfait.
3. *Cœur* : celui de Bajazet, mais le sultan n'a jamais promis à Roxane le mariage, qu'elle souhaitait avant tout.

ROXANE

Ma rivale est ici : suis-moi sans différer[1] ;
1545 Dans les mains des muets viens la voir expirer,
Et, libre d'un amour à ta gloire funeste,
Viens m'engager ta foi : le temps fera le reste.
Ta grâce est à ce prix, si tu veux l'obtenir.

BAJAZET

Je ne l'accepterais que pour vous en punir,
1550 Que pour faire éclater aux yeux de tout l'empire
L'horreur et le mépris que cette offre m'inspire.
Mais à quelle fureur me laissant emporter,
Contre ses tristes jours vais-je vous irriter ?
De mes emportements[2] elle n'est point complice,
1555 Ni de mon amour même et de mon injustice[3].
Loin de me retenir par des conseils jaloux,
Elle me conjurait[4] de me donner à vous.
En un mot, séparez ses vertus de mon crime.
Poursuivez, s'il le faut, un courroux légitime ;
1560 Aux ordres d'Amurat hâtez-vous d'obéir ;
Mais laissez-moi du moins mourir sans vous haïr.
Amurat avec moi ne l'a point condamnée :
Épargnez une vie assez infortunée.
Ajoutez cette grâce à tant d'autres bontés,
1565 Madame ; et si jamais je vous fus cher...

ROXANE

Sortez.

---

1. *Sans différer* : sans tarder, sans attendre.
2. *Emportements* : mouvements violents de l'âme, causés par quelque passion, et qui la font sortir des bornes de la raison.
3. *Mon injustice* : mon ingratitude (en ne payant pas de retour les bienfaits et l'amour de Roxane, Bajazet s'est montré injuste envers elle).
4. *Conjurait* : suppliait.

Acte V Scène 4

L'ULTIMATUM DE ROXANE

1. De quand date la dernière entrevue de Roxane et de Bajazet ? Que s'est-il passé depuis ?

2. Sur quel ton Roxane s'adresse-t-elle à Bajazet ? Que lui reproche-t-elle surtout (v. 1470 à 1481) ? Étant donné le caractère de Bajazet, en quoi ce reproche est-il habile ?

3. Qu'indique le tutoiement soudain au vers 1482 ?

4. Quel compromis Bajazet propose-t-il aux vers 1520 à 1526 ? Pourquoi Roxane le refuse-t-elle ? Quel sentiment domine en elle (v. 1529 à 1539) ?

5. En quoi consiste l'ultimatum de Roxane (v. 1544 à 1548) ? Espère-t-elle convaincre Bajazet ? Pourquoi n'a-t-elle en fait aucune chance de le faire ? Quelle erreur commet-elle encore ?

6. Quel sens prend le « Sortez » du vers 1565 ? À quels vers précédents renvoie-t-il ? À votre avis, sur quel ton Roxane le prononce-t-elle ?

7. Comment l'urgence de la scène est-elle stylistiquement marquée ?

UN PLAIDOYER MALADROIT

8. Pourquoi Bajazet passe-t-il aussi rapidement de la surprise feinte à l'aveu non déguisé ?

9. Faites le plan de la tirade de Bajazet (v. 1490 à 1526). Quels arguments avance-t-il pour se défendre ? Sont-ils sincères ? Quels sont ceux qui peuvent toucher Roxane ? ceux au contraire qui la laissent indifférente ou qui ne font que l'irriter davantage ? De qui ou de quoi omet-il de parler ?

10. Distinguez les deux moments de la seconde tirade de Bajazet (v. 1549 à 1565).

11. En quoi son plaidoyer en faveur d'Atalide est-il à la fois maladroit et inutile ? Servez-vous des variantes du texte pour répondre. Quelle dernière maladresse commet-il avant l'interruption de Roxane ?

SCÈNE 5.   ROXANE, ZATIME.

ROXANE

Pour la dernière fois, perfide, tu m'as vue,
Et tu vas rencontrer la peine qui t'est due.

ZATIME

Atalide à vos pieds demande à se jeter,
Et vous prie un moment de vouloir l'écouter,
1570 Madame : elle vous veut faire l'aveu fidèle
D'un secret important qui vous touche plus qu'elle.

ROXANE

Oui, qu'elle vienne. Et toi, suis Bajazet qui sort,
Et quand il sera temps, viens m'apprendre son sort.

SCÈNE 6.   ROXANE, ATALIDE.

ATALIDE

Je ne viens plus, Madame, à feindre disposée,
1575 Tromper votre bonté si longtemps abusée.
Confuse, et digne objet de vos inimitiés,
Je viens mettre mon cœur et mon crime à vos pieds.
Oui, Madame, il est vrai que je vous ai trompée :
Du soin de mon amour seulement occupée,
1580 Quand j'ai vu Bajazet, loin de vous obéir,
Je n'ai dans mes discours songé qu'à vous trahir.
Je l'aimai dès l'enfance, et dès ce temps, Madame,
J'avais par mille soins su prévenir[1] son âme.
La sultane sa mère, ignorant l'avenir,
1585 Hélas ! pour son malheur, se plut à nous unir.

1. *Prévenir :* disposer favorablement à mon égard.

Vous l'aimâtes depuis. Plus heureux l'un et l'autre,
Si, connaissant mon cœur, ou me cachant le vôtre,
Votre amour de la mienne[1] eût su se défier !
Je ne me noircis point pour le justifier.
1590 Je jure par le ciel qui me voit confondue,
Par ces grands Ottomans dont je suis descendue,
Et qui tous avec moi vous parlent à genoux
Pour le plus pur du sang qu'ils ont transmis en nous :
Bajazet à vos soins tôt ou tard plus sensible,
1595 Madame, à tant d'attraits n'était pas invincible.
Jalouse, et toujours prête à lui représenter[2]
Tout ce que je croyais digne de l'arrêter,
Je n'ai rien négligé, plaintes, larmes, colère,
Quelquefois attestant les mânes de sa mère[3] ;
1600 Ce jour même, des jours le plus infortuné,
Lui reprochant l'espoir qu'il vous avait donné,
Et de ma mort enfin le prenant à partie[4],
Mon importune ardeur ne s'est point ralentie,
Qu'arrachant malgré lui des gages de sa foi,
1605 Je ne sois parvenue[5] à le perdre avec moi.
Mais pourquoi vos bontés seraient-elles lassées ?
Ne vous arrêtez point à ses froideurs passées :
C'est moi qui l'y forçai. Les nœuds[6] que j'ai rompus
Se rejoindront bientôt quand je ne serai plus.
1610 Quelque peine pourtant qui soit due à mon crime,
N'ordonnez pas vous-même une mort légitime,
Et ne vous montrez point à son cœur éperdu
Couverte de mon sang par vos mains répandu.
D'un cœur trop tendre encore épargnez la faiblesse.

---

1. *De la mienne :* de mon amour (encore féminin au XVIIe siècle).
2. *Représenter :* montrer, faire voir.
3. *Les mânes de sa mère :* l'ombre, l'esprit de sa mère défunte.
4. *Le prenant à partie :* le rendant responsable.
5. *Qu'arrachant ... je ne sois parvenue :* tant que je ne suis pas parvenue.
6. *Nœuds :* liens sentimentaux, passionnels (langage galant).

1615 Vous pouvez de mon sort me laisser la maîtresse,
Madame, mon trépas n'en sera pas moins prompt.
Jouissez d'un bonheur dont ma mort vous répond[1] ;
Couronnez un héros dont vous serez chérie :
J'aurai soin de ma mort, prenez soin de sa vie.
1620 Allez, Madame, allez. Avant votre retour,
J'aurai d'une rivale affranchi[2] votre amour.

ROXANE

Je ne mérite pas un si grand sacrifice :
Je me connais, Madame, et je me fais justice.
Loin de vous séparer, je prétends aujourd'hui
1625 Par des nœuds éternels vous unir avec lui :
Vous jouirez bientôt de son aimable vue.
Levez-vous. Mais que veut Zatime tout émue ?

SCÈNE 7.   ROXANE, ATALIDE, ZATIME.

ZATIME

Ah ! venez vous montrer, Madame, ou désormais
Le rebelle Acomat est maître du palais :
1630 Profanant des sultans la demeure sacrée,
Ses criminels amis en ont forcé l'entrée.
Vos esclaves tremblants, dont la moitié s'enfuit,
Doutent si le vizir vous sert ou vous trahit.

ROXANE

Ah, les traîtres ! Allons, et courons le confondre[3].
1635 Toi, garde ma captive, et songe à m'en répondre.

---

1. *Dont ma mort vous répond :* que ma mort vous garantit.
2. *Affranchi :* débarrassé.
3. *Le confondre :* l'arrêter.

156

Acte V Scènes 5, 6 et 7

LE TRAGIQUE DE L'INUTILE

1. Dégagez le plan de la tirade d'Atalide (v. 1574 à 1621). À quel genre de discours appartient-elle ?

2. Rapprochez cette tirade de celle de Bajazet à la scène 4. En quoi Atalide confirme-t-elle le témoignage de Bajazet ? En quoi, à l'inverse, le contredit-elle aussi ?

3. Quelle justification Atalide donne-t-elle de son amour pour Bajazet ?

4. En quoi le projet d'Atalide est-il maladroit ? En quoi consiste l'ironie tragique de son intervention ?

DEUX RIVALES FACE À FACE

5. Pourquoi Roxane accepte-t-elle maintenant de recevoir Atalide ?

6. Quel sentiment domine à présent en Atalide ? Son interprétation des faits vous paraît-elle sincère (v. 1596 à 1605) ? Justifiez votre réponse en vous référant à d'autres passages de la pièce.

7. Comment expliquez-vous le long silence de Roxane pendant les explications d'Atalide ? Quel peut être son sentiment devant les propos contradictoires d'Atalide et de Bajazet ?

8. Montrez l'ironie de sa réponse à Atalide (v. 1622 à 1626). Sur quels procédés stylistiques repose-t-elle ? En quoi est-elle tout particulièrement cruelle ? Que veut dire, à votre avis, le « Je me connais » du vers 1623 ?

UNE RÉBELLION TROP TARDIVE

9. Quelle nouvelle Zatime apporte-t-elle à la scène 7 ? Est-ce à proprement parler un coup de théâtre ? Analysez l'effet que cette nouvelle produit sur Roxane, sur Atalide et sur le spectateur ?

10. Quel thème les paroles de Zatime introduisent-elles (v. 1628 à 1633) ?

11. La rébellion d'Acomat risque-t-elle de nuire à l'unité d'action ? Justifiez votre réponse.

SCÈNE 8.   ATALIDE, ZATIME.

ATALIDE

Hélas ! pour qui mon cœur doit-il faire des vœux ?
J'ignore quel dessein les anime tous deux.
Si de tant de malheurs quelque pitié te touche,
Je ne demande point, Zatime, que ta bouche
1640 Trahisse en ma faveur Roxane et son secret[1] ;
Mais, de grâce, dis-moi ce que fait Bajazet :
L'as-tu vu ? Pour ses jours n'ai-je encor rien à craindre ?

ZATIME

Madame, en vos malheurs je ne puis que vous plaindre.

ATALIDE

Quoi ? Roxane déjà l'a-t-elle condamné ?

ZATIME

1645 Madame, le secret m'est sur tout ordonné.

ATALIDE

Malheureuse, dis-moi seulement s'il respire.

ZATIME

Il y va de ma vie, et je ne puis rien dire.

ATALIDE

Ah ! c'en est trop, cruelle. Achève, et que ta main
Lui donne de ton zèle un gage plus certain :
1650 Perce toi-même un cœur que ton silence accable,
D'une esclave barbare esclave impitoyable.
Précipite des jours[2] qu'elle me veut ravir,
Montre-toi, s'il se peut, digne de la servir.
Tu me retiens en vain, et dès cette même heure,
1655 Il faut que je le voie, ou du moins que je meure.

---

1. *Son secret :* ce qu'elle a décidé de faire.
2. *Précipite des jours :* abrège des jours.

SCÈNE 9.   ATALIDE, ACOMAT, ZATIME.

ACOMAT

Ah ! que fait Bajazet ? Où le puis-je trouver,
Madame ? Aurai-je encor le temps de le sauver ?
Je cours tout le sérail ; et même, dès l'entrée,
De mes braves amis la moitié séparée
1660 A marché sur les pas du courageux Osmin ;
Le reste m'a suivi par un autre chemin.
Je cours, et je ne vois que des troupes craintives
D'esclaves effrayés, de femmes fugitives.

ATALIDE

Ah ! je suis de son sort moins instruite que vous.
1665 Cette esclave le sait.

ACOMAT

Crains mon juste courroux.
Malheureuse, réponds.

SCÈNE 10.   ATALIDE, ACOMAT, ZATIME, ZAÏRE.

ZAÏRE

Madame !

ATALIDE

Eh bien, Zaïre ?

Qu'est-ce ?

ZAÏRE

Ne craignez plus : votre ennemie expire.

ATALIDE

Roxane ?

ZAÏRE

Et ce qui va bien plus vous étonner,
Orcan lui-même, Orcan vient de l'assassiner.

159

ATALIDE

1670 Quoi ! lui ?

ZAÏRE

Désespéré d'avoir manqué son crime[1],
Sans doute il a voulu prendre cette victime.

ATALIDE

Juste ciel, l'innocence a trouvé ton appui !
Bajazet vit encor ; vizir, courez à lui.

ZAÏRE

Par la bouche d'Osmin vous serez mieux instruite.
1675 Il a tout vu.

SCÈNE 11. ATALIDE, ACOMAT, OSMIN, ZAÏRE.

ACOMAT

Ses yeux ne l'ont-ils point séduite ?
Roxane est-elle morte ?

OSMIN

Oui, j'ai vu l'assassin
Retirer son poignard tout fumant de son sein.
Orcan, qui méditait ce cruel stratagème,
La servait à dessein de la perdre elle-même,
1680 Et le sultan l'avait chargé secrètement
De lui sacrifier l'amante après l'amant.
Lui-même, d'aussi loin qu'il nous a vus paraître :
« Adorez, a-t-il dit, l'ordre de votre maître ;
« De son auguste seing reconnaissez les traits,
1685 « Perfides, et sortez de ce sacré palais[2] ».

---

1. *D'avoir manqué son crime* : de n'avoir pu tuer Bajazet.
2. *Ce sacré palais* : ce palais sacré, en français moderne.

Didier Galas (Osmin), Pierre Lacan (un garde) et Laurence Cotte (Atalide).
Mise en scène de Jacques Rivette.
Théâtre Gérard Philipe, Saint-Denis, 1989.

À ce discours, laissant la sultane expirante,
Il a marché vers nous, et d'une main sanglante,
Il nous a déployé l'ordre dont[1] Amurat
Autorise ce monstre à ce double attentat[2].
1690 Mais, seigneur, sans vouloir l'écouter davantage,
Transportés à la fois de douleur et de rage,
Nos bras impatients ont puni son forfait,
Et vengé dans son sang la mort de Bajazet.

ATALIDE

Bajazet !

ACOMAT

Que dis-tu ?

OSMIN

Bajazet est sans vie.
1695 L'ignoriez-vous ?

ATALIDE

Ô ciel !

OSMIN

Son amante en furie,
Près de ces lieux, Seigneur, craignant votre secours,
Avait au nœud fatal abandonné ses jours.
Moi-même des objets j'ai vu le plus funeste,
Et de sa vie en vain j'ai cherché quelque reste :
1700 Bajazet était mort. Nous l'avons rencontré
De morts et de mourants noblement entouré,
Que, vengeant sa défaite et cédant sous le nombre,
Ce héros a forcés d'accompagner son ombre.
Mais puisque c'en est fait, Seigneur, songeons à nous.

ACOMAT

1705 Ah ! destins ennemis, où[3] me réduisez-vous ?

1. *Dont :* par lequel.
2. *Attentat :* outrage ou violence que l'on veut faire à quelqu'un.
3. *Où :* à quoi.

« *Bajazet était mort...* » (v. 1700-1701).
Gravure d'après une illustration de F. Gérard.
Bibliothèque nationale, Paris.

Je sais en Bajazet la perte que vous faites,
Madame. Je sais trop qu'en l'état où vous êtes,
Il ne m'appartient point de vous offrir l'appui
De quelques malheureux qui n'espéraient qu'en lui.
1710 Saisi[1], désespéré d'une mort qui m'accable,
Je vais, non point sauver cette tête coupable,
Mais, redevable aux soins[2] de mes tristes[3] amis,
Défendre jusqu'au bout leurs jours qu'ils m'ont commis[4].
Pour vous, si vous voulez qu'en quelque autre contrée
1715 Nous allions confier votre tête sacrée,
Madame, consultez[5] : maîtres de ce palais,
Mes fidèles amis attendront vos souhaits ;
Et moi, pour ne point perdre un temps si salutaire,
Je cours où ma présence est encor nécessaire ;
1720 Et jusqu'au pied des murs que la mer vient laver,
Sur mes vaisseaux tout prêts je viens vous retrouver.

---

1. *Saisi :* bouleversé (se dit de quelqu'un qui est surpris par la douleur, l'affliction, la crainte ou l'étonnement à la vue d'un accident ou à l'audition d'une nouvelle).
2. *Redevable aux soins :* devant me préoccuper de.
3. *Tristes :* malheureux.
4. *Commis :* confiés.
5. *Consultez :* délibérez avec vous-même.

Acte V Scènes 8, 9, 10 et 11

L'ART DU SUSPENSE,
OU UN DÉNOUEMENT RETARDÉ

1. Selon vous, quelles sont les raisons (psychologiques, dramatiques, etc.) du silence de Zatime devant Atalide à la scène 8 ?

2. En quoi cette scène est-elle tout particulièrement pathétique ? Quelles raisons poussent maintenant Atalide à vouloir mourir ?

3. L'entrée d'Acomat à la scène 9 était-elle préparée ? Quelle peut être la réaction du spectateur ? celle d'Atalide ? L'issue de la tragédie vous semble-t-elle dès lors remise en question ?

4. Quel est l'intérêt autre que dramatique des scènes 8, 9 et 10 ? Quelle image notamment donnent-elles du sérail ?

LE MALENTENDU TRAGIQUE

5. Par quel procédé Racine fait-il rebondir l'intérêt dans la scène 10 ? Quel rôle dramatique fait-il jouer à Orcan ?

6. Que peut penser le spectateur de la joie d'Atalide (v. 1672-1673) ? Un dénouement heureux est-il encore possible ? Quel vers de Zaïre pourrait le laisser espérer ?

7. Dégagez les différents moments du récit d'Osmin (v. 1676 à 1704) et montrez comment l'ordre suivi permet de retarder l'annonce de la mort de Bajazet. Relevez dans ce récit les paroles qui la laissent toutefois supposer.

8. Comment l'annonce de la mort de Bajazet est-elle finalement amenée ?

LE TABLEAU DE LA MORT

9. Pourquoi la mort de Roxane et celle de Bajazet n'ont-elles pu être représentées sur scène ? Qu'y gagne-t-on également ?

10. Les circonstances de la mort de Bajazet vous paraissent-elles en accord avec son caractère ?

11. Par quels côtés l'évocation de Bajazet mourant peut-elle faire penser à un tableau ? Contrastez-la avec d'autres scènes de carnage et de mort dans l'œuvre de Racine.

12. Relevez les images ayant trait à la mort dans le récit d'Osmin. Quelles en sont les principales caractéristiques ?

LE SORT DES CONJURÉS

13. Quel peut être le sentiment d'Atalide à l'annonce de la mort de Bajazet ?

14. Quelles sont la première et la seconde réaction d'Acomat à cette nouvelle ? Que propose-t-il de faire ? En quoi reste-t-il fidèle à lui-même malgré l'effondrement de son plan ? Quelle erreur de raisonnement commet-il encore au sujet des autres personnages ?

15. Atalide peut-elle accepter son offre ?

SCÈNE 12. ATALIDE, ZAÏRE.

ATALIDE

Enfin, c'en est donc fait ; et par mes artifices,
Mes injustes soupçons, mes funestes caprices,
Je suis donc arrivée au douloureux moment
1725 Où je vois par mon crime expirer mon amant.
N'était-ce pas assez, cruelle destinée,
Qu'à lui survivre, hélas ! je fusse condamnée ?
Et fallait-il encor que pour comble d'horreurs,
Je ne puisse imputer sa mort qu'à mes fureurs ?
1730 Oui, c'est moi, cher amant, qui t'arrache la vie :
Roxane, ou le sultan, ne te l'ont point ravie.
Moi seule, j'ai tissé le lien malheureux
Dont tu viens d'éprouver les détestables[1] nœuds[2].
Et je puis, sans mourir, en souffrir la pensée,
1735 Moi qui n'ai pu tantôt, de ta mort menacée,
Retenir mes esprits prompts à m'abandonner[3] ?
Ah ! n'ai-je eu de l'amour que pour t'assassiner ?
Mais c'en est trop : il faut, par un prompt sacrifice,
Que ma fidèle main te venge et me punisse.
1740 Vous, de qui j'ai troublé la gloire et le repos,
Héros, qui deviez tous revivre en ce héros,
Toi, mère malheureuse, et qui dès notre enfance,
Me confias son cœur dans une autre espérance,
Infortuné vizir, amis désespérés,
1745 Roxane, venez tous, contre moi conjurés,

---

1. *Détestables* : qui suscitent l'indignation, l'horreur.
2. *Nœuds* : les lacets qui ont servi à étrangler Bajazet.
3. *Retenir ... m'abandonner* : Atalide fait ici allusion à son évanouissement de l'acte IV, sc. 3.

Tourmenter à la fois une amante éperdue,
Et prenez la vengeance enfin qui vous est due.

(Elle se tue.)

ZAÏRE

Ah ! Madame !... Elle expire. Ô ciel ! en ce malheur
Que ne puis-je avec elle expirer de douleur !

Acte V Scène 12

LA RECONNAISSANCE TRAGIQUE

1. Quel est le sens du dernier « c'en est donc fait » (v. 1722) ?

2. De quoi Atalide s'accuse-t-elle ? Montrez la gradation des reproches qu'elle s'adresse à elle-même et son insistance à vouloir assumer la totale responsabilité de la mort de Bajazet.

3. Dans quelle mesure est-elle responsable de cette mort ?

4. Comment expliquez-vous son apostrophe au destin (v. 1726 à 1729) ? Quelle part Atalide reconnaît-elle au destin dans la tragédie ? Y a-t-il contradiction avec l'acceptation de sa propre responsabilité ?

SUICIDE ET BIENSÉANCES

5. Le suicide d'Atalide est-il conforme aux bienséances ? Quelle impression fait-il sur le spectateur ?

6. Pourquoi Atalide invoque-t-elle tous les autres personnages de la pièce au moment de se tuer ? À votre avis, quel sens donne-t-elle à sa mort ?

Ensemble de l'acte V

UN DÉNOUEMENT COMPLEXE

1. Quel est le tempo de l'acte V ? Quel effet produisent l'augmentation du nombre de scènes et leur brièveté croissante ?

2. Relevez la nature et le nombre des procédés dramatiques utilisés par Racine pour différer le dénouement ?

3. Dans quelle mesure les réactions des personnages et du spectateur coïncident-elles ?

4. À quoi tient l'élément de surprise indéniable de ce dénouement ?

5. De quel jour nouveau l'intervention d'Orcan dans la tragédie éclaire-t-elle le reste de la pièce ? Qui est en définitive le véritable maître du dénouement ?

« DU SANG ET DES MORTS »

6. Montrez comment Racine réussit à mêler le pathétique et l'horrible dans les dernières scènes de l'acte.

7. Partagez-vous le jugement de Mme de Sévigné sur cette fin d'acte : « Le dénouement n'est point bien préparé : on n'entre point dans les raisons de cette grande tuerie » ? Le nombre de morts vous paraît-il excessif ? Les autres dénouements de Racine sont-ils aussi sanglants ? Justifiez votre réponse.

8. À votre avis, pourquoi Racine fait-il mourir Roxane à l'acte V ? et de la main d'Orcan plutôt que de celle d'Acomat ou d'Osmin, ou encore de la sienne propre ?

9. Le sort d'Acomat est-il clair à la fin ? Quelle autre pièce de Racine laisse aussi en suspens le sort d'un ou de plusieurs personnages ? Le dénouement peut-il alors être qualifié de complet ?

Bilan de l'ensemble de l'œuvre

1. Comment justifiez-vous le titre de *Bajazet* donné à sa tragédie par Racine ?

2. Les personnages : faites un tableau des apparitions sur scène des divers personnages de l'œuvre selon le modèle suivant :

Personnages	Acte I			Acte II			Etc.
	sc. 1	sc. 2	etc.	sc. 1	sc. 2	etc.	
Bajazet							
Roxane							
Atalide							
Etc.							

Que constatez-vous ? Quels sont les personnages qui apparaissent le plus sur scène ? ceux qui parlent le plus ? ceux qu'on ne voit jamais ? Pourquoi ? Quelle est l'actrice principale, Roxane ou Atalide ? Quel est le rôle d'Acomat ?

3. Péripéties et revirements : relevez le nombre et la place des « pour la dernière fois » et des « c'en est fait ». À quel moment de l'action se situent-ils ? À quoi correspondent-ils ? Combien voyez-vous de péripéties dans la pièce ? De quoi s'accompagnent-elles ?

4. Action et récits : combien voyez-vous de récits dans la pièce ? Quelle est leur proportion par rapport au reste du texte ? À quoi servent-ils ? À quel moment sont-ils faits ?

5. Monologues et sentiments : combien y a-t-il de monologues dans la pièce ? Où se situent-ils ? Quelle est leur fonction ? Est-il possible de les classer en diverses catégories ?

6. Rythme et tempo : quels sont les éléments d'urgence dans la pièce ? Totalisez le nombre de scènes par acte et notez la longueur respective de ces scènes. Qu'en concluez-vous ? Que se passe-t-il pendant les entractes ? Le fait qu'ils soient pleins ou vides a-t-il une importance ?

7. La couleur locale : quels sont les effets de couleur locale dans la pièce ? Relevez les détails donnés par Racine sur les mœurs et les coutumes turques. En vous aidant de l'index thématique, dressez la liste des termes le plus fréquemment utilisés pour suggérer la couleur locale intérieure.

8. On a parlé à propos de *Bajazet* de « loi d'ironie ». À quoi vous paraît-elle tenir ?

9. La poésie des images : quelles sont les images qui dominent dans la pièce ? Comment se combinent-elles ? Quelle est leur fonction ? Relevez les vers qui vous paraissent le plus évocateurs et dites pourquoi.

Illustration de Charles-Abraham Chasselat
(1782-1843)
pour les contes des *Mille et Une Nuits*.

Documentation thématique

Index des principaux thèmes
de *Bajazet,* p. 174

Visages de l'Orient :
la femme captive, p. 178

Index des principaux thèmes de *Bajazet*

Amour :
- *Éros* (violent, sensuel, dominateur) : v. 97 à 102, 141-142, 153 à 166, 177, 263, 274 à 281, 299-300, 308 à 324, 344-345, 383 à 387, 407 à 411, 423-424, 466 à 470, 503 à 512, 523 à 542, 547 à 558, 604 à 606, 682 à 688, 729, 777 à 784, 828 à 832, 855-856, 863-864, 885 à 888, 911-912, 917 à 922, 970 à 974, 1019 à 1024, 1037 à 1040, 1070 à 1073, 1081, 1085 à 1090, 1196-1198, 1222 à 1226, 1243 à 1248, 1272 à 1277, 1292 à 1295, 1306-1307, 1315, 1317 à 1319, 1408 à 1413, 1432-1433, 1474 à 1479, 1494 à 1501, 1532-1533, 1579 à 1581, 1586 à 1588, 1596 à 1605, 1654-1655, 1695 à 1697, 1722 à 1739.

- *Agapê* (durable, profond, dévoué) : v. 358 à 366, 398 à 400, 668, 672-673, 677 à 680, 695-696, 706 à 708, 713 à 716, 722 à 726, 826 à 828, 833 à 840, 907 à 910, 958 à 962, 996 à 998, 1012, 1091 à 1094, 1137-1138, 1142 à 1146, 1490 à 1497, 1552 à 1558, 1582 à 1585, 1614 à 1621, 1742-1743.

Aveuglement : v. 277, 347 à 350, 355-356, 367, 373 à 376, 389-390, 413-414, 549, 742, 933 à 938, 982 à 994, 1025-1026, 1039-1040, 1042, 1071, 1075 à 1077, 1081-1082, 1150, 1210 à 1212, 1227-1228, 1235 à 1237, 1250, 1297 à 1301, 1370, 1379, 1424, 1479, 1499 à 1503, 1532, 1585.

Cruauté : v. 39 à 42, 82, 105 à 114, 123 à 126, 129 à 132, 248, 265-266, 316, 323-324, 509 à 512, 524, 535 à 537, 542, 687-688, 719 à 721, 761 à 768, 1021-1022, 1045, 1185 à 1192, 1194-1195, 1204, 1245 à 1248, 1276 à 1282, 1286-1287, 1292 à 1296, 1315 à 1331, 1345, 1352 à 1355, 1361 à 1363, 1443 à 1449, 1455, 1544 à 1547, 1648 à 1653, 1678 à 1683, 1687 à 1689, 1726-1727.

Danger : v. 110, 161, 190, 240, 247, 271, 429, 486, 499, 504, 530, 582, 599 à 601, 641, 722, 951, 960, 1161, 1202, 1305, 1406, 1433, 1511 à 1513.

Doute et soupçons : v. 37, 123, 132, 267, 274, 286, 486, 751, 1115 à 1117, 1128, 1151, 1187, 1225, 1371, 1588, 1632-1633, 1723.

Enfermement : v. 3-4, 128, 139, 144, 150, 152, 201, 323-324, 435 à 438, 507-508, 524, 571-572, 611, 662, 1129, 1320, 1330, 1426, 1450, 1454, 1507, 1635.

Fatalité : v. 15, 58, 63-64, 67-68, 137, 221, 223, 353, 417 à 419, 421-422, 666, 678, 704, 788, 870, 957, 963-964, 1238, 1432, 1536, 1672, 1705, 1726-1727.

Feinte et mensonge : v. 35-36, 143 à 149, 167-168, 172 à 174, 243-244, 284, 353, 388, 393 à 397, 413, 418, 470, 490, 521, 555, 641 à 644, 650, 654, 666, 669-670, 717, 730-731, 753 à 755, 949, 977, 997, 1009 à 1012, 1057, 1066, 1078 à 1080, 1132, 1135-1136, 1151, 1157, 1228-1229, 1233, 1270-1271, 1300, 1312-1313, 1346-1347, 1462, 1480 à 1487, 1515, 1578, 1581, 1678-1679, 1722.

Héroïsme : v. 115 à 122, 439 à 444, 610, 631 à 636, 737 à 740, 947 à 954, 1401 à 1403, 1420, 1427 à 1429, 1700 à 1703, 1711 à 1713, 1741.

Ignorance : v. 6-7, 11, 28, 167, 227, 255-256, 260, 263-264, 332, 414, 453, 562-563, 703, 1085, 1109-1110, 1145, 1168, 1171, 1196, 1219-1220, 1250, 1386, 1431, 1446 à 1450, 1459, 1483, 1529, 1636-1637, 1656-1657, 1667.

Imprudence : v. 275-276, 283-284, 391-392, 395, 411, 675, 743 à 748, 771-772, 782, 790, 993-994, 1048, 1055-1056, 1119-1120, 1151, 1207 à 1209, 1222 à 1224, 1275, 1319, 1517.

Jalousie : v. 377 à 383, 402 à 406, 682 à 688, 818 à 824,

902 à 905, 913 à 921, 929 à 938, 967 à 974, 1074, 1082 à 1086, 1091 à 1094, 1150, 1209 à 1218, 1239 à 1246, 1320, 1322-1323, 1370 à 1373, 1539, 1576, 1596-1597, 1601, 1621, 1723.

Liberté : v. 237-238, 264, 315-316, 421-422, 507-508, 625 à 631, 849, 891, 948, 1014, 1506 à 1508, 1518.

Lucidité : v. 85 à 90, 155-156, 185 à 192, 235-236, 497-498, 522, 525 à 529, 582, 1001 à 1004, 1060, 1066, 1070 à 1074, 1085 à 1088, 1091 à 1095, 1150 à 1152, 1210 à 1218, 1221 à 1224, 1270-1271, 1299 à 1301, 1309 à 1311, 1379 à 1383, 1390 à 1397, 1410 à 1412, 1432-1433, 1462 à 1469, 1622-1623, 1706 à 1709, 1723 à 1737.

Mort : v. 5, 74, 79-80, 114, 125, 132, 146, 187-188, 194, 200, 266, 326, 340, 400-401, 510, 512, 535-536, 542 à 544, 557, 566, 592 à 594, 609 à 614, 656, 668, 670, 687 à 690, 694, 707, 721, 725, 736, 750, 764 à 768, 773-774, 828-829, 832, 961-962, 964, 970, 973, 1002, 1022, 1039, 1094, 1112, 1122, 1142, 1188, 1191-1192, 1194, 1198, 1203, 1205, 1247-1248, 1267, 1278 à 1281, 1286-1287, 1315, 1317, 1321, 1325, 1327, 1355, 1358-1359, 1369, 1385, 1388, 1396, 1421, 1427 à 1429, 1448-1449, 1457, 1469, 1508, 1545, 1561, 1567, 1602, 1609, 1611, 1613, 1616-1617, 1619, 1621, 1648 à 1652, 1655, 1667 à 1671, 1676-1677, 1681, 1686, 1689, 1692 à 1703, 1710, 1725, 1734-1735, 1737 à 1739, 1747 à 1749.

Peur : v. 18, 44, 72-73, 93, 109, 124-125, 147, 149, 160-161, 186, 204-205, 215, 244, 295, 386, 403, 464, 501, 697, 734-735, 751, 774-775, 791, 847, 851, 942, 1062, 1069, 1072, 1081-1082, 1092, 1111, 1121 à 1126, 1149, 1161, 1163, 1226, 1285, 1289, 1301, 1325, 1335, 1436, 1438 à 1440, 1510, 1642, 1662-1663, 1665, 1667, 1696.

Regard : v. 4, 10, 13, 16, 18, 61, 77, 119, 140, 142-143, 152-153, 163, 165-166, 181, 202, 208, 214, 237, 248 à 250, 255, 329-330, 332, 350, 365, 369, 399, 411, 431, 447, 457, 466, 485, 515, 555, 604, 612-613, 675, 686, 689 à 691, 702, 709,

720, 744, 747-748, 757, 764, 767-768, 780, 789, 798, 822-823, 847, 868, 878, 884-885, 887, 889, 896, 903, 917-918, 931, 940, 947, 955, 959, 1001, 1013, 1025, 1034, 1048-1049, 1052, 1064-1065, 1068, 1076, 1121, 1124, 1126, 1129, 1139, 1157, 1181, 1192, 1207, 1209, 1223, 1232, 1236, 1245-1246, 1284, 1311, 1317-1318, 1327-1328, 1342, 1362, 1369, 1401, 1408, 1413, 1430, 1435, 1442, 1460, 1463, 1489, 1512, 1545, 1550, 1566, 1612, 1626, 1628, 1642, 1655, 1662, 1675-1676, 1682, 1688, 1698, 1700-1701, 1724.

Révolte : v. 65-66, 226, 231-232, 237 à 250, 425 à 438, 487 à 492, 620 à 630, 846 à 852, 1332 à 1337, 1422 à 1429, 1628 à 1631, 1656 à 1661, 1690 à 1693, 1711 à 1719.

Silence et secrets : v. 11, 31, 59-60, 71, 135, 158, 233, 280, 331, 366, 368, 391, 410, 452, 560, 563, 675, 714, 762, 883, 945, 949, 997, 1119-1120, 1131, 1162, 1168, 1193, 1330, 1386-1387, 1437, 1490-1491, 1517, 1571, 1587, 1640, 1645, 1647, 1650, 1680.

Sincérité : v. 13, 208, 329-330, 643, 742, 749, 753-754, 762, 910, 979-980, 1008-1009, 1492 à 1494, 1570, 1574 à 1577.

Visages de l'Orient :
la femme captive

C'est au XVIIe siècle que, avec la publication des premiers récits de voyages, s'est éveillé en France l'intérêt pour l'Orient. Les siècles suivants ont confirmé cet attrait, bien que ce ne soit véritablement qu'au XIXe siècle que l'exotisme s'est installé dans la littérature française et, avec lui, bon nombre d'images stéréotypées, sérieuses ou comiques. Toutefois, dès le début, les auteurs ont montré une préférence marquée pour la peinture du sérail, monde si étranger aux mœurs françaises.

L'Orient tragique

Avec *Bajazet,* Racine a créé l'Orient tragique et a fait du sérail le lieu clos où les passions s'exaspèrent pour provoquer la mort. Seul de ses prédécesseurs, le poète Tristan l'Hermite (1601-1655) avait su évoquer une semblable atmosphère de violence et de peur. Dans sa tragédie *la Mort du grand Osman* (1646), la jeune fille dédaignée du sultan se venge en le faisant assassiner par les janissaires. Elle donne ici libre cours à sa fureur :

> Prince grand, mais trop orgueilleux
> Des dons rares et merveilleux
> Que le Ciel fit à ta naissance !
> Ne présume pas tant d'un glorieux destin ;
> Tu connais ta valeur, tu connais ta puissance,
> Mais tu ne connais pas ta fin.

Ne triomphe pas du mépris,
Dont tu m'as mise à si bas prix ;
Le Ciel abhorre les superbes [les orgueilleux].
C'est avec trop d'orgueil aujourd'hui t'élever ;
La foudre bien souvent met plus bas que les herbes,
Les cèdres qui la vont braver.

Entre ceux qui te sont soumis,
Tu ne peux faire d'ennemis,
Qui ne soient fort considérables.
Le bonheur des plus grands dont on craint le pouvoir,
Peut être traversé par les plus misérables,
S'ils sont armés du désespoir.

Une assez grande passion,
Va faire à ma discrétion
Cette vengeance désirée.
Selim en ma faveur dessine ton trépas :
Au gré de mes désirs ta mort est assurée,
Ou bien son amour ne l'est pas.

Lorsqu'il m'offre sa liberté,
Tout l'espoir dont il s'est flatté
Se fonde sur tes funérailles.
C'est de tes derniers maux que doit naître son bien :
Il faut qu'il ait tiré ton cœur de tes entrailles,
Pour avoir quelque part au mien.

Mais que dis-je, avoir quelque part ?
Son mérite arrive trop tard,
Pour s'introduire en cette place.
Il a beau pour me plaire ici s'abandonner ;
Il faut qu'il soit certain quelque chose qu'il fasse,
Que mon cœur n'est plus à donner.

Cieux ! des sentiments incertains
Font secrètement que je crains
Un effet que je sollicite.
Puisqu'au destin d'Osman mon triste sort est joint,
Faites absolument qu'il ait ce qu'il mérite,
Ou ce qu'il ne mérite point !

Tristan l'Hermite, *la Mort du grand Osman* (acte III, sc. 1), 1646.

De la rêverie érotique
à l'Orient des philosophes

Les successeurs de Racine se sont éloignés de cette conception tragique et ont davantage vu dans la peinture du sérail l'occasion de récits fantaisistes et galants. En effet, la traduction en français des *Mille et Une Nuits* au début du XVIIIᵉ siècle a mis à la mode les contes orientaux. Les descriptions érotiques se sont alors multipliées, où, complice de l'auteur, le lecteur assiste en spectateur indiscret aux mystères du harem. Même Montesquieu dans ses *Lettres persanes* n'a pas reculé devant l'évocation de scènes parfois licencieuses, comme celle que retrace la lettre 3 de Zachi, où Usbek doit juger de la beauté de trois femmes.

Servitude et antinature

Chez les penseurs du XVIIIᵉ siècle, la fascination a vite cédé pour faire place à une critique réfléchie d'une institution qui n'est en définitive qu'une triste prison où les femmes doivent endurer des traitements cruels et avilissants. Plus qu'un lieu de plaisir, le sérail apparaît comme le symbole de la servitude et de l'antinature. Il est l'image en réduction du despotisme qui caractérise le régime oriental. En effet, avec ses femmes enfermées et ses eunuques, ce monde, où la frustration des désirs mène à la cruauté, est donné comme un antimonde puisque la vie n'y est pas la conséquence de l'amour. On le compare même au couvent européen. Poussé par la hantise de la dépopulation, Montesquieu fait ainsi parler Usbek :

C'est dans cet état de défaillance que nous met toujours ce grand nombre de femmes plus propre à nous épuiser qu'à nous satisfaire. Il est très ordinaire parmi nous de voir un homme dans un sérail prodigieux avec un très petit nombre d'enfants. Ces enfants mêmes sont, la plupart du temps, faibles et malsains et se sentent de la langueur de leur père.

Ce n'est pas tout : ces femmes obligées à une continence

[chasteté] forcée ont besoin d'avoir des gens pour les garder, qui ne peuvent être que des eunuques : la religion, la jalousie même ne permettent pas d'en laisser approcher d'autres. [...]

Les filles esclaves qui sont dans le sérail, pour servir avec les eunuques ce grand nombre de femmes, y vieillissent presque toujours dans une affligeante virginité : elles ne peuvent pas se marier pendant qu'elles y restent, et leurs maîtresses, une fois accoutumées à elles, ne s'en défont presque jamais.

Voilà comment un seul homme occupe à ses plaisirs tant de sujets de l'un et l'autre sexe, les fait mourir pour l'État, et les rend inutiles à la propagation de l'espèce.

Montesquieu, *Lettres persanes* (lettre 114), 1721.

Esclavage et liberté

Le sérail est aussi la négation de la liberté. Toutes ces femmes qui peuvent être gardées, abandonnées, remplacées, sont traitées comme de simples objets que l'on prend et que l'on rejette à son gré. Elles n'ont de valeur qu'en tant que choses possédées. Mais le maître qui les possède les possède-t-il vraiment ? Suffit-il d'enfermer des femmes pour se les soumettre ? C'est la question que pose Voltaire (1694-1778) dans ses *Questions sur l'Encyclopédie* et à laquelle ont répondu les Persanes de Montesquieu. L'une d'elles, Roxane, dans ce véritable cri de triomphe qu'est sa dernière lettre, clame sa haine, sa révolte et sa libération par la mort.

Oui, je t'ai trompé ; j'ai séduit tes eunuques, je me suis jouée de ta jalousie, et j'ai su, de ton affreux sérail, faire un lieu de délices et de plaisirs. [...]

Comment as-tu pensé que je fusse assez crédule pour m'imaginer que je ne fusse dans le monde que pour adorer tes caprices ? que, pendant que tu te permets tout, tu eusses le droit d'affliger tous mes désirs ? Non ! J'ai pu vivre dans la servitude, mais j'ai toujours été libre : j'ai réformé tes lois sur celles de la nature, et mon esprit s'est toujours tenu dans l'indépendance.

Tu devrais me rendre grâces encore du sacrifice que je t'ai fait : de ce que je me suis abaissée jusqu'à te paraître fidèle ;

de ce que j'ai lâchement gardé dans mon cœur ce que j'aurais dû faire paraître à toute la terre ; enfin, de ce que j'ai profané la vertu, en souffrant qu'on appelât de ce nom ma soumission à tes fantaisies.

Tu étais étonné de ne point trouver en moi les transports de l'amour. Si tu m'avais bien connue, tu y aurais trouvé toute la violence de la haine.

Mais tu as eu longtemps l'avantage de croire qu'un cœur comme le mien t'était soumis. Nous étions tous deux heureux : tu me croyais trompée, et je te trompais. [...]

Montesquieu, *Lettres persanes* (lettre 161).

Ainsi, dans les *Lettres persanes,* les rapports du maître et de la femme enfermée, son esclave, débouchent sur une lutte ouverte des deux et sur la révolte de l'esclave ; car, par son infidélité et son suicide, Roxane se soustrait à l'autorité d'Usbek. Elle est libre. Mais c'est une liberté toute négative, qui ne s'affirme que dans la mort.

Humour et parodie

L'autre aspect de la littérature du XVIIIe siècle, c'est non plus la réflexion sérieuse, mais l'image plaisante et fantaisiste d'un harem libéré. La comédie des *Trois Sultanes* de Charles Simon Favart (1710-1792), représentée en 1761, montre le tout-puissant Soliman se soumettant de bonne grâce à la rééducation amoureuse que lui fait subir sa favorite, la Française Roxane.

> Oui, vous feriez mieux de m'entendre ;
> Je veux faire de vous un sultan accompli,
> C'est un soin que je veux bien prendre.
> Commencez, s'il vous plaît, par vous désabuser
> Que vous ayez des droits pour nous tyranniser ;
> C'est précisément le contraire.
> Les hommes ne sont faits que pour nous amuser.
> Corrigez-vous, cherchez à plaire ;
> Chez vous on s'ennuie à périr.

Au lieu d'avoir pour émissaire

Montrant [le chef des eunuques]

Ce prétendu monsieur que je ne puis souffrir,
Prenez un officier jeune, bien fait, aimable,
Qui vienne les matins consulter nos désirs,
    Et nous faire un plan agréable
    De jeux, de fêtes, de plaisirs.
Pourquoi de cent barreaux vos fenêtres couvertes ?
    C'est de fleurs qu'il faut les garnir ;
    Que du sérail les portes soient ouvertes,
Et que le bonheur seul empêche d'en sortir.
    Traitez vos esclaves en dames ;
    Soyez galant avec toutes les femmes,
Tendre avec une seule ; et si vous méritez
    Qu'on ait pour vous quelques bontés,
On vous en instruira. J'ai dit, je me retire ;
    C'est à vous de vous mieux conduire ;
    Voilà ma première leçon.
Profitez ; nous verrons si vous valez la peine
    Qu'on vous en donne une autre.

Favart, les Trois Sultanes (acte I, sc. 10), 1762.

En despote éclairé, convaincu que l'amour d'une femme se gagne en fait par l'estime et la confiance, et non par la force, Soliman affranchit Roxane, l'épouse et disperse son sérail.

L'Orient romantique

Avec les romantiques, l'évocation de l'Orient s'est faite plus pittoresque, plus colorée. *Les Orientales* de Victor Hugo (1802-1885) ont donné le ton en 1828. Elles reprenaient les thèmes traditionnels de l'enfermement, de la violence et de la cruauté des mœurs du sérail, mais en les renouvelant par le contraste poétique avec la beauté du paysage oriental. Dans un poème intitulé justement « La captive », le thème de l'enfermement s'efface devant l'évocation d'un lieu presque féerique. Ailleurs, le rappel de la coutume brutale qui veut que l'on jette à la mer, enfermées dans des sacs, les femmes infidèles ou les épouses enceintes du sultan défunt, contraste lui aussi avec la sérénité de la scène.

La lune était sereine et jouait sur les flots.
La fenêtre enfin libre est ouverte à la brise,
La sultane regarde, et la mer qui se brise,
Là-bas, d'un flot d'argent brode les noirs îlots.

De ses doigts en vibrant s'échappe la guitare.
Elle écoute... Un bruit sourd frappe les sourds échos.
Est-ce un lourd vaisseau turc qui vient des eaux de Cos,
Battant l'archipel grec de sa rame tartare [d'Asie centrale] ?

Sont-ce des cormorans qui plongent tour à tour,
Et coupent l'eau, qui roule en perles sur leur aile ?
Est-ce un djinn qui là-haut siffle d'une voix grêle,
Et jette dans les mers les créneaux de la tour ?

Qui trouble ainsi les flots près du sérail des femmes ?
Ni le noir cormoran, sur la vague bercé,
Ni les pierres du mur, ni le bruit cadencé
D'un lourd vaisseau, rampant sur l'onde avec des rames.

Ce sont des sacs pesants, d'où partent des sanglots.
On verrait, en sondant la mer qui les promène,
Se mouvoir dans leurs flancs comme une forme humaine.
La lune était sereine et jouait sur les flots.

Victor Hugo, « Clair de lune », *les Orientales*, 1828.

La Turquie moderne : ennui et désenchantement

À la veille des réformes d'Atatürk, qui ont libéralisé la Turquie, la femme turque est dépeinte dans *les Désenchantées* de Pierre Loti comme déchirée entre les aspirations soulevées chez la jeune fille par une éducation à l'européenne et la situation de dépendance de la femme mariée. Les intrigues sanglantes des harems d'autrefois ont laissé la place à une vie de monotonie et d'ennui à laquelle on n'échappe que par la mort. L'une de ces jeunes femmes évoque ainsi sa journée :

Mais, pour le livre que vous nous avez promis à toutes, je vais vous raconter la journée d'une femme turque en hiver. Ce sera de saison, car voici bientôt novembre, les froids, l'obscurité, tout un surcroît d'ombre et d'ennui s'abattant sur nous... La journée d'une femme turque en hiver. Je commence donc.

Se lever tard, même très tard. La toilette lente, avec indolence. Toujours de très longs cheveux, de trop épais et lourds cheveux, à arranger. Puis après, se trouver jolie, dans le miroir d'argent, se trouver jeune, charmante, et en être attristée.

Ensuite, passer la revue silencieuse dans les salons, pour vérifier si tout est en ordre ; la visite aux menus objets aimés, souvenirs, portraits, dont l'entretien prend une grande importance. Puis déjeuner, souvent seule, dans une grande salle, entourée de négresses ou d'esclaves circassiennes [du piémont nord du Caucase] ; avoir froid aux doigts en touchant l'argenterie éparse sur la table, avoir surtout froid à l'âme ; parler avec les esclaves, leur poser des questions dont on n'écoute pas les réponses...

Et maintenant, que faire jusqu'à ce soir ? Les harems du temps jadis, à plusieurs épouses, devaient être moins tristes : on se tenait compagnie entre soi... Que faire donc ? De l'aquarelle ? [...] Ou bien jouer du piano, jouer du luth ? Lire du Paul Bourget, ou de l'André Lhéry [pseudonyme que se donne Loti dans le roman] ? Ou bien broder, reprendre quelqu'une de nos longues broderies d'or, et s'intéresser toute seule à voir courir ses mains, si fines, si blanches, avec les bagues qui scintillent ? C'est quelque chose de nouveau que l'on souhaiterait, et que l'on attend sans espoir, quelque chose d'imprévu qui aurait de l'éclat, qui vibrerait, qui ferait du bruit, mais qui ne viendra jamais... On voudrait aussi se promener malgré la boue, malgré la neige, n'étant pas sortie depuis quinze jours ; mais aller seule est interdit. Aucune course à imaginer comme excuse ; rien. On manque d'espace, on manque d'air. Même si on a un jardin, il semble qu'on

n'y respire pas, parce que les murs en sont trop hauts.
On sonne ! Oh ! quelle joie si cela pouvait être une catastrophe, ou seulement une visite !

Pierre Loti, *les Désenchantées* (chapitre XXVIII), 1906.

L'Orient tragique d'un Racine, l'Orient volontiers grivois des conteurs du XVIIIe siècle, l'Orient pittoresque des romantiques et l'Orient terne du début de ce siècle, autant de visages différents d'une même réalité, le harem et l'odalisque.

Annexes

Les sources, p. 188

Les variantes :
un fignolage stylistique, p. 195

L'art du récit, p. 197

Orientalisme et tragédie, p. 205

Racine, *Bajazet*
et la critique, p. 214

Avant ou après la lecture, p. 221

Bibliographie, p. 224

Les sources

Bajazet est la seule tragédie de Racine qui repose sur des faits pratiquement contemporains de l'auteur. En effet, les événements racontés remontent à peine aux années 1630. Rien n'était plus hardi pour une époque où l'on considérait que la tragédie devait s'inspirer de modèles tirés des littératures grecque et latine.

Les sources écrites et orales

Quels sont donc ces faits et comment Racine a-t-il pu les connaître ? À quelles sources a-t-il pu les puiser ?

Un certain nombre de dépêches diplomatiques avaient été adressées au roi Louis XIII et à son secrétaire d'État Bouthillier par Philippe de Harlay, comte de Cézy, ambassadeur de France à Constantinople de 1618 à 1639. À son retour en France en 1645, celui-ci avait régalé la cour de mainte anecdote concernant les circonstances de la mort de Bajazet. C'est de lui que se réclame Racine dans sa première préface. Mais comme Racine, trop jeune alors, n'a pu connaître personnellement le comte de Cézy, c'est de l'un des auditeurs de celui-ci, le chevalier de Nantouillet, qu'il avoue tenir ses renseignements. C'est donc d'un récit de seconde main, sans doute enjolivé par les conditions de son énonciation, que Racine a tiré *Bajazet*. Car il n'a certainement pas eu accès aux dépêches elles-mêmes, que protégeait le secret diplomatique. Toutefois, dans sa seconde préface, Racine fait allusion à une relation écrite de ces événements, que Cézy lui-même aurait composée, mais que personne n'a jamais retrouvée. Enfin, Racine mentionne un troisième informateur, le successeur de Cézy au poste d'ambassadeur à Constantinople, Jean de La Haye, seigneur de Venteley, qui lui a sans doute fourni des détails de couleur locale. Il existait aussi des ouvrages d'érudition récents, comme l'*Histoire générale des Turcs* de Mézeray publiée en 1650, son abrégé rédigé en 1665 par du Verdier, ou la traduction du livre de Ricaut, parue en 1670 sous le titre de l'*Histoire de l'état présent de l'Empire ottoman,* ouvrages que Racine cite et qui racontaient brièvement les faits.

Il faut également ajouter comme sources possibles de la pièce les *Voyages du Sieur du Loir,* parus en 1654, et que le rédacteur du *Mercure galant* du 9 janvier 1672 accusait Racine d'avoir plagiés, ainsi que les deux livres de Michel Baudier, l'*Inventaire de l'histoire générale des Turcs* de 1617, réédité en 1641, et l'*Histoire générale du sérail et de la cour du Grand Seigneur* de 1624, rééditée en 1662. Enfin, il existait aussi une version romanesque des faits publiée par Segrais en 1656-1657 dans son recueil de nouvelles intitulé *les Nouvelles françaises, ou les Divertissements de la princesse Aurélie.*

De toutes ces sources, Racine privilégie les relations orales dans ses préfaces, se contentant de brèves allusions aux ouvrages d'érudition et passant complètement sous silence la version romanesque, soit qu'il l'ait ignorée, soit qu'il l'ait considérée comme n'ayant aucune autorité historique valable, soit enfin qu'il ait voulu taire un emprunt.

Les faits historiques

Quels sont donc les faits, ceux du moins que Racine pouvait connaître ? En 1623, le sultan Mourad IV avait pris le pouvoir après une révolte des janissaires qui avait coûté la vie à son frère Osman l'année précédente (c'est le sujet de la tragédie de ce nom de Tristan l'Hermite). Il échappa lui-même à une révolte des janissaires en 1631. En 1635, alors qu'il assiégeait la ville d'Erivan, il craignit d'être évincé à son tour et, selon la coutume turque, fit mourir ses deux frères les plus âgés, Bajazet et Soliman (aussi appelé Orcan par les historiens).

Quelques années plus tard, en 1638, lors du siège de Babylone (ancien nom de Bagdad), il se débarrassa d'un troisième frère, appelé Kasim. Son dernier frère, Ibrahim, ne dut qu'à son imbécillité d'avoir la vie sauve. On disait d'ailleurs que la sultane mère n'avait pas été étrangère à ces décisions de Mourad. Par ailleurs, tels qu'ils s'étaient passés quelque quarante ans plus tôt, ces faits n'étaient pas sans rappeler l'actualité même de 1672. En effet, le nouveau sultan, Mahomet IV, cherchait lui aussi à éliminer un de ses frères du nom de Soliman ; il avait en outre deux autres frères, Orcan et Bajazet, que protégeait la sultane mère.

À cette version des faits, Racine a apporté quelques modifications dans sa seconde préface. Il affirme ainsi que c'est dès les premiers jours de son règne que Mourad fit étrangler Soliman/Orcan. Cette erreur manifeste est certainement voulue car l'existence de ce second frère n'aurait fait qu'encombrer inutilement l'action de la tragédie. Par ailleurs, c'est à la suite du siège de Babylone, ville beaucoup plus connue et au nom plus évocateur, et non après celui d'Erivan, que Racine fait mourir Bajazet, reculant ainsi sa mort de trois ans. Dans les faits, c'est Kasim qui meurt à ce moment-là. Il apparaît donc que Racine associe plus ou moins ces deux morts, et que, des deux expéditions contre les Perses, il ne fait qu'une campagne qui se prolonge. Mais, s'il simplifie et regroupe ainsi les faits de façon à accélérer le rythme de la pièce, le cadre général de l'action reste le même. Une des petites entorses de détail faites par Racine à la vérité historique vaut toutefois la peine d'être mentionnée. En effet, Racine fait mourir Bajazet en héros, contrairement au récit de la plupart des historiens.

La joie de cette conquête s'étant portée de l'armée turque dans Constantinople, la Sultane mère en célébra la réjouissance par quatre jours de fête continuelle ; durant laquelle néanmoins, pour la rendre plus agréable à ce tyran, on étrangla par son commandement deux de ses frères, Bajazet et Orcan : ce dernier, prince de grand cœur, tua quatre de ses bourreaux à coups de flèche et de massue, premier [avant] que de se laisser prendre.

Mézeray, *Histoire des Turcs*, vol. II, 1650.

Ce détail est d'ailleurs confirmé par une dépêche de septembre 1635 de l'ambassadeur Cézy. Mais la dignité du héros tragique demandait que ce fût Bajazet qui vendît chèrement sa vie.

La nouvelle de Segrais

En dépit de l'affirmation de Racine selon laquelle « le sujet de cette tragédie [n'est] encore dans aucune histoire imprimée », les circonstances de la mort de Bajazet se trouvaient développées dans la nouvelle de Segrais. Il est évident pour qui la lit que nouvelle et tragédie racontent la même histoire. Par ailleurs, il est intéressant de remarquer que Segrais se réclame lui aussi d'une source orale, dans laquelle il est facile de reconnaître le comte de Cézy. De fait, une dépêche de mars 1640 de l'ambassadeur lui-même, ajoutant des précisions sur la mort de Bajazet, semble confirmer l'authenticité d'ensemble des faits narrés par Segrais. Selon Cézy, le prince était protégé par la sultane mère, qui l'aurait même aidé à cacher ses amours avec une de ses suivantes, dont il aurait eu un fils. Mais Cézy reste discret sur les sentiments personnels de la sultane à l'égard du prince.

De cela, Segrais a tiré un récit romanesque. Tout en gardant le cadre général des événements, l'absence du sultan et les intrigues du sérail pour faire couronner Bajazet, il a précisé la nature des rapports du prince et de la sultane et notamment les avances de cette dernière, développé l'idylle entre Bajazet et la jeune esclave Floridon, mais aussi ajouté la découverte d'une lettre compromettante de Bajazet à celle-ci. Enfin, il a également enrichi son récit par l'évanouissement de Floridon,

la jalousie et la fureur de la sultane, et — et c'est par là que
Segrais diffère de Racine — le partage de Bajazet entre les
deux femmes, le non-respect par les amants des conditions
imposées par la sultane, la décision de celle-ci d'obéir enfin
au sultan, qui exige la mort de son frère et la réconciliation
finale des deux rivales autour du berceau de l'enfant de
Floridon. Voici la fin de ce récit.

La mort de Bajazet était résolue dans son esprit [celui de la
Sultane] ; car sa dernière ingratitude lui donnait sans comparaison plus de rage contre lui qu'elle n'en avait contre sa
rivale.

« Autrefois, disait-elle, que tu me l'as ravie d'entre mes
bras, trop heureuse Floridon ! Je devais me venger de toi ;
mais présentement je ne dois accuser que ma simplicité. Dois-
je vouloir que tu lui fermes la porte après le hasard où il
s'expose pour l'amour de toi ? Mais quant à cet ingrat pour
qui depuis huit jours, j'ai encore exposé et mon autorité et
mon sang et ma vie, ah, comment lui pardonner ! » La Sultane
répétait souvent ces paroles ou de semblables, et paraissait
tout à fait résolue à la perte de ce Prince ; mais quand il lui
fallait songer à la manière de l'exécuter, quand elle se
représentait qu'elle ne le verrait plus, et quand elle songeait
combien elle l'avait aimé, ce n'était pas un léger combat dans
son esprit. Ses menaces méprisées, et son amour outragée et
déçue tant de fois lui inspirèrent les plus cruelles résolutions
dont une femme irritée puisse être capable ; mais les charmes
de Bajazet, et l'amour invincible qu'elle avait pour lui, le
défendaient extrêmement, et à la fin s'ils n'eussent vaincu, du
moins ils eussent tenu longtemps la victoire en balance ; mais
ce Prince était encore plus malheureux sur les frontières de
Perse par la mutinerie des soldats qu'il ne l'était à Constantinople par sa faute. L'amitié de son frère était diminuée par
l'absence, où elle n'agissait pas si puissamment que l'amour
de la Sultane. La sédition de l'armée qui augmenta, le vainquit
entièrement. La colère et la crainte de l'Empereur achevèrent
ce que la Sultane peut-être n'aurait jamais fait. Quoiqu'il ne
doutât point que son commandement ne dût être exécuté, par

une détestable prudence, non qu'il pût prévoir ce qui arriva à son premier courrier, car ce fut une chose fort singulière parmi les Turcs, mais craignant le retardement et les accidents de chemin, sept ou huit jours après, il en députa encore un autre qui arriva dans ce temps même qui lui était si fatal. Cet homme, ayant été instruit de l'accident qui était arrivé à celui qui l'avait devancé, voulut mieux prendre ses mesures qu'il n'avait fait. Il alla trouver la Sultane, et il lui montra les ordres d'Amurath (et c'était précisément en ce même instant que je viens de décrire) ; dans l'état où elle y était contre le Prince Bajazet, il est aisé de croire qu'elle n'y apporta pas grande résistance. Se voyant méprisée tant de fois, voyant ce qu'elle avait hasardé déjà, et craignant qu'enfin l'Empereur (qui par le rapport de ce courrier avait changé son dessein pour l'expédition de Perse, et devait être l'hiver à Constantinople) n'apprît quelque chose de ses amours. Elle répondit que le Sultan était absolu, et que ses commandements devaient être exécutés. Ainsi le soir même, Bajazet étant retourné chez lui, cet homme qui n'était autre qu'un Chiaoux [officier de la cour du Sultan], qui est comme un huissier du cabinet parmi nous, s'en alla le trouver, ayant pris seulement avec lui le juge du peuple et quatre muets qui d'ordinaire servent à ces cruelles exécutions, et de cette manière, il le fit étrangler sans qu'aucun y apportât la moindre résistance.

L'Empereur ne porta pas longtemps la punition de ce parricide : deux ou trois mois après étant revenu à Constantinople, il y mourut d'une débauche qu'il fit. Floridon, se doutant bien de ce qui s'était passé, évita d'abord la colère de la Sultane ; mais peu à peu, elle fit la paix au point que la Sultane la souffrit dans Constantinople.

Elle accoucha d'un fils qu'elle eut de Bajazet ; la Sultane aima même cet enfant, et c'est ce jeune prince qui, ayant été envoyé par sa mère à la Mecque, avec une autre Sultane de ses amies qui y allait par dévotion, fut pris, il y a cinq ou six ans, par les Chevaliers de Malte avec tous les riches présents qu'elle y envoyait.

Segrais, *les Nouvelles françaises,*
ou les Divertissements de la princesse Aurélie, 1656-1657.

Il est aisé de voir par où Racine s'est écarté de Segrais et de comprendre les modifications qu'il a fait subir à son récit. C'est ainsi que, par souci de la dignité tragique, d'esclave Floridon est devenue princesse, que, par respect des bienséances, l'eunuque Acomat a été promu grand vizir, et que la sultane n'est plus la mère d'Amurat, mais sa favorite. Les bienséances interdisaient en outre qu'Atalide fût l'amante, au sens actuel du terme, de Bajazet ; leur amour ne pouvait être que platonique. L'enfant de la réconciliation disparaissait donc. Le partage amoureux entre les deux femmes était également exclu. Peu bienséant, il était aussi peu vraisemblable. Enfin, Racine a interverti l'ordre des événements ; l'amour d'Atalide précède la passion de la sultane et cette antériorité est un peu une justification.

Mais Racine ne s'est pas contenté de modifier, il a aussi innové. Il a ainsi ajouté le complot d'Acomat, qui est vraisemblable dans le cadre turc, même s'il n'est pas strictement vrai, car il permet de lier entre eux les divers fils de l'action. De plus, à la complexité psychologique de la nouvelle de Segrais, Racine a opposé la simplicité de la passion de Roxane, qui éclate dans toute sa violence. Au foisonnement des faits, il a opposé le relatif dépouillement de sa propre intrigue et l'unité de l'action, au pittoresque coloré des détails, il a opposé une couleur locale tout intérieure, faite d'états d'âme et de passions brutales.

En ce sens, la nouvelle de Segrais et la tragédie de Racine se présentent comme deux états plus ou moins travaillés de cette relation manuscrite de Cézy dont parle Racine dans sa préface de 1676. À supposer qu'il ait connu les deux autres textes, Racine a dépassé dans *Bajazet* le niveau de la simple imitation de modèles pour faire œuvre originale, tout en se conformant aux règles habituelles de la tragédie que lui imposaient ses contemporains.

Les variantes :
un fignolage stylistique

Le texte de la présente édition est celui de l'édition de 1697 des *Œuvres complètes* de Racine, dernière des éditions publiées du vivant de l'auteur. Il reproduit dans l'ensemble celui de l'édition séparée de 1672 de la pièce. En effet, contrairement à certaines de ses pièces, comme *Andromaque,* Racine n'a apporté à *Bajazet* que de légères modifications de détail, tantôt affinant ses tournures, tantôt améliorant la mélodie d'un vers en supprimant, par exemple, la répétition maladroite d'occlusives (p, b et q), difficiles à prononcer :

« Et je serais heureux, si je pouvais goûter
Quelque bonheur, au prix qu'il vient de m'en coûter. »

(Acte III, sc. 4, v. 943-944.)

Ailleurs, c'est un « e » muet qu'il a supprimé à la césure pour se conformer aux exigences des puristes :

« Mes yeux ne trouvaient point ce trouble, cette ardeur
Que leur avait promise un discours trop flatteur. »

(Acte I, sc. 3, v. 283-284.)

À l'acte IV et à l'acte V, Racine a aussi supprimé deux passages de plusieurs vers chacun, mais pour des raisons cette fois plus dramatiques que stylistiques. Le premier passage suivait la découverte par Roxane de la lettre de Bajazet à Atalide.

« Tu n'as pas eu besoin de tout ton artifice,
Et (je veux bien te faire encor cette justice)
Toi-même, je m'assure, as rougi plus d'un jour
Du peu qu'il t'en coûtait pour tromper tant d'amour.
Moi qui... »

(Acte IV, sc. 5, entre les vers 1301 et 1302.)

La suppression de ces vers a permis d'enlever à l'introspection psychologique de Roxane tout semblant d'excuse de la conduite de Bajazet qui aurait pu atténuer la rage croissante de la sultane. Quant au second passage, il était inclus dans la scène de la dernière entrevue de Roxane et de Bajazet.

« Confessant vos bienfaits, reconnaissant vos charmes,
Elle a pour me fléchir employé jusqu'aux larmes.
Toute prête vingt fois à se sacrifier,
Par sa mort elle-même a voulu nous lier.
En un mot... »

                              (Acte V, sc. 4, entre les vers 1557 et 1558.)

Cette autre suppression, qui rend quelque peu maladroit désormais le « En un mot » du vers 1558, a permis d'éviter la mention de paroles qui auraient eu le contraire de l'effet voulu ; car, en insistant davantage sur l'attitude d'Atalide, en laissant entendre son amour pour lui, qu'il essaie à tout prix de dissimuler, mais qui est la seule raison derrière la proposition de suicide d'Atalide, Bajazet aurait plaidé contre lui-même et excité encore davantage la rage de Roxane.

Mais, même minimes, ces rectifications apportées par Racine au texte de sa pièce montrent à quel point il est jusqu'au bout resté soucieux de la mélodie de ses vers et de l'exactitude psychologique de ses personnages.

L'art du récit

Bajazet est l'une des pièces de Racine qui comporte le plus de récits. On en relève en effet une douzaine. Certains sont de véritables tranches d'histoire turque et rappellent les hauts faits de Soliman, la défaite de Bajazet Ier face à Tamerlan, les révoltes des janissaires ou les difficultés militaires d'Amurat ; d'autres évoquent l'enfance de Bajazet et d'Atalide, leur amour réciproque ou la naissance de la passion de Roxane ; d'autres encore font revivre avec plus ou moins de détails les événements survenus hors scène, comme l'entrevue de Roxane et de Bajazet qui prend place entre l'acte II et l'acte III, ou les morts de Bajazet et de Roxane au cours de l'acte V. Tous ces récits concernent des faits passés, qui se sont déroulés dans un temps plus ou moins proche, et parfois même antérieur au temps dramatique.

Mais est-ce que tout fait passé peut faire l'objet d'un récit ? Quels sont les principes de la narration ? Les contemporains de Racine ont été unanimes sur ce point : on « met en récit » ce qui ne peut pas se dérouler sur scène (par souci des bienséances, des convenances ou pour toute autre raison). Par ailleurs, celui ou celle qui relate les événements doit avoir de bonnes raisons de le faire, tout comme celui ou celle qui l'écoute. Le récit doit être intéressant, la conclusion brièvement donnée dès le début, à la fois pour piquer la curiosité de l'auditeur et pour la satisfaire en partie. Enfin, la narration est conçue comme un « ornement », un exercice de style, un exemple de bien-dire.

Quelle est alors la fonction du récit ? C'est un rappel du passé qui communique des renseignements — il a alors une valeur informative —, mais aussi qui cherche à avoir une incidence sur celui ou celle qui écoute, à le faire réagir, à influer sur ses opinions et ses sentiments. C'est ce qu'on appelle la valeur « performative » du récit. En ce sens, le récit lui-même est une action et, comme l'a écrit un contemporain de Corneille, « Parler, c'est Agir ». D'ailleurs, ces deux fonctions ne s'excluent pas, la plupart du temps elles se combinent pour influer sur le présent dramatique de la pièce.

La valeur de l'information

Les scènes d'exposition à l'acte I sont un bon exemple de la fonction d'information du récit. Le spectateur est informé le plus naturellement possible des événements qui ont eu lieu avant le début de la pièce. Ces événements appartiennent nécessairement à un temps prédramatique. La longue absence d'Osmin et son retour tant attendu suffisent à justifier les exposés respectifs des deux hommes. D'autre part, l'intérêt du spectateur est tout de suite éveillé par la surprise d'Osmin devant le lieu inhabituel choisi pour l'entretien. Mais l'exposition n'est pas limitée à la scène 1 ; les récits d'Osmin et d'Acomat sont, en effet, complétés par un court récit de Roxane (sc. 3, v. 290 à 316) et par une longue tirade d'Atalide (sc. 4, v. 357 à 389). Cette fragmentation du récit d'exposition, tout en précisant et en élargissant le contenu de l'information donnée au spectateur, aboutit en fait à une multiplicité de points de vue sur la situation politique et sentimentale. Multiplicité qui sert à accentuer l'atmosphère de mystère et d'imbroglio propre au lieu choisi. Le spectateur découvre aussi les illusions que les personnages se font sur la situation, car chacun ne possède qu'une information incomplète et n'a, par conséquent, qu'une vision limitée de la situation. Acomat et Roxane ne savent pas, par exemple, que Bajazet et Atalide s'aiment. De leur côté, Bajazet, Atalide et Roxane ne savent pas qu'Acomat les manipule pour servir ses propres intérêts. Seul le spectateur peut rassembler les divers éléments d'information et avoir une vue complète de la situation.

Les divers passages narratifs de l'acte III ont aussi une fonction d'information : apprendre à la fois à Atalide et au spectateur ce qui s'est passé à l'entracte entre Roxane et Bajazet. Or, ici, rien n'empêchait Racine de représenter sur scène l'entrevue de Roxane et de Bajazet. Qu'il ait choisi de ne pas le faire montre qu'il a voulu, comme à l'acte I, insister sur la difficulté de savoir ce qui se passe dans un lieu aussi fermé et cloisonné que le sérail, et sur le peu de fiabilité de l'information reçue. Comme précédemment, les divers récits de l'acte III sont autant de perspectives différentes, voire contradictoires, sur un même événement. Les récits de Zaïre (sc. 1, v. 794 à 801), d'Acomat (sc. 2, v. 867 à 898) et de Roxane (sc. 5, v. 1019 à 1026) s'opposent ainsi à celui de Bajazet (sc. 4, v. 981 à 998). Qui possède la véritable information ? Qui dit la vérité ? N'ayant pas non plus assisté à l'entretien, le spectateur se trouve dans la même confusion d'esprit qu'Atalide. Et il n'apprendra jamais ce qui s'est véritablement passé, il ne saura jamais ce que Bajazet a effectivement dit à Roxane.

De même, les exposés de leur amour que font à tour de rôle Bajazet et Atalide à Roxane à l'acte V (sc. 4, v. 1490 à 1526, 1554 à 1557 et sc. 6, v. 1580 à 1605), s'ils se ressemblent sur certains points, sont contradictoires par d'autres. Le comportement d'Atalide varie ainsi considérablement. Bajazet affirme que

« Loin de me retenir par des conseils jaloux,
Elle me conjurait de me donner à vous »

(sc. 4, v. 1556-1557)

alors qu'Atalide se prétend

« Jalouse, et toujours prête à lui représenter
Tout ce que je croyais digne de l'arrêter »

(sc. 6, v. 1596-1597).

La reprise des mêmes mots sert même à mieux souligner l'opposition des idées. La valeur informative de ces récits —

pour Roxane qui entrevoit déjà la vérité — est réelle, bien que le récit d'Atalide vienne remettre partiellement en question la véracité de celui de Bajazet. Et, au moment où Bajazet avoue sa duplicité à Roxane, disparaît enfin l'ambiguïté maintenue dans le reste de la pièce par la présence simultanée de discours contradictoires, celui de l'amour vrai mais secret de Bajazet et d'Atalide, et celui de l'amour public mais faux de Bajazet et de Roxane. Là aussi, la pluralité des points de vue sert à révéler en définitive la fausse valeur informative du récit dans *Bajazet*.

Pour les personnages de la pièce, comme pour le spectateur, la source de l'information réside au cœur de ces récits contradictoires. La limite entre connaissance et supposition, entre vérité et invention, est en fait difficile à déterminer. C'est donc à juste titre que Roland Barthes a pu parler de « l'obscurité des signes » qui caractérise le sérail.

L'ironie dramatique

Dans une pièce aussi ambivalente que *Bajazet,* où tout est à double face, le récit apporte alors sa contribution à la « loi d'ironie ». À tout moment, les personnages relatent à d'autres personnages des faits précis, que ceux-ci ignorent, certes, mais ils le font sans se rendre compte que ces derniers en savent plus long qu'eux-mêmes sur la situation générale. Considérons, par exemple, le récit de l'entrevue de Roxane et de Bajazet qu'Acomat fait à Atalide à l'acte III. Acomat, qui s'est présenté à Atalide comme le détenteur d'un savoir qu'elle ignore (« Voici tout ce qui vient d'arriver devant moi », sc. 2, v. 868) et qui croit en savoir plus que les autres conjurés, ne sait pas et surtout ne voit pas dans cette scène qu'Atalide lui cache quelque chose et qu'elle en sait en définitive plus que lui sur la situation dans son ensemble. C'est en ce sens qu'on peut dire que la scène est ironique.

La fonction performative du récit

À quoi tient la fausseté de l'information que contient le récit ?
Tout d'abord au fait qu'il a une valeur performative. Pour le
personnage qui narre, il s'agit très souvent de faire faire
quelque chose à un autre, non seulement d'informer son
interlocuteur, mais aussi de le convaincre et, à la limite, de
le pousser à agir. Ainsi s'expliquent bien des distorsions de
la vérité. À l'acte I, le récit d'Osmin (sc. 1, v. 53 à 68) sur
l'état de la situation militaire se voulait objectif et présentait
une alternative :

« Le succès du combat réglera leur conduite :
Il faut voir du Sultan la victoire ou la fuite. »

Or, dans la bouche d'Acomat, qui cherche à convaincre
Roxane d'agir tout de suite et de donner le signal de la
révolte au palais, ce même récit devient beaucoup plus
optimiste :

« Le superbe Amurat est toujours inquiet
Et toujours tous les cœurs penchent vers Bajazet :
D'une commune voix ils l'appellent au trône »

(sc. 2, v. 215 à 217).

Même déformation dans la bouche de Roxane, qui veut
persuader Bajazet qu'il est dans son intérêt de l'épouser :

« Osmin a vu l'armée : elle penche pour vous »

(acte II, sc. 1, v. 431).

À l'acte III, scène 2, le récit d'Acomat a pour but de
rassurer Atalide sur l'avenir de la conjuration et de lui présenter
l'entrevue de Roxane et de Bajazet sous les plus belles couleurs
possibles. En revanche, à la scène 4, Bajazet tient à dissiper
les soupçons d'Atalide ; il a alors tendance à minimiser les
marques d'amour qu'il a pu donner à Roxane. Ces deux récits
sont donc marqués par le but visé par chacun des personnages,
alors que le récit initial de Zaïre se voulait, lui, beaucoup
plus neutre. Zaïre disait ne rien savoir de précis et en être

réduite à interpréter l'expression du visage d'Acomat (sc. 1, v. 797 à 799). De fait, le récit d'Acomat repose, lui aussi, sur l'interprétation de signes visuels, peu nombreux et passablement ambigus, à savoir le comportement de Roxane et de Bajazet pendant leur entretien. Acomat n'a assisté à cet entretien que de loin, il n'a rien pu entendre. Il a vu simplement, mais il a surtout vu ce qu'il voulait voir. Son intérêt personnel dans la conjuration lui a comme mis des œillères. Et, par le biais de son récit à Atalide, c'est autant lui-même que la princesse qu'il cherche à rassurer. Aussi son compte rendu, qu'il déclare être « fidèle » (v. 897), va apparaître peu à peu comme « infidèle » (v. 977) et comme « menteur » (v. 1151).

Le récit fait par Bajazet à la scène 4 de l'acte V a, lui aussi, un but performatif : se justifier et obtenir le pardon de Roxane afin de se sauver ainsi qu'Atalide. Bajazet rappelle alors à Roxane que, au moment où il l'a connue, il n'était sentimentalement pas libre, mais il évite surtout dans un premier temps de prononcer le nom d'Atalide ; dans la seconde partie de son discours, il essaie plutôt de disculper celle-ci en insistant sur sa générosité. Deux scènes plus tard, Atalide adopte la même tactique, insistant à son tour sur la durée de leur amour, comme si cette durée servait en quelque sorte à autoriser et à légitimer ce dernier.

Enfin, un récit qui paraît à première vue purement informatif, celui de la mort de Bajazet (acte V, sc. 11, v. 1693 à 1703), escamote pour ainsi dire les détails de cette mort, réduits à une dizaine de lignes à peine (comparer, par exemple, avec le récit de Théramène de la mort d'Hippolyte dans *Phèdre,* qui est un véritable morceau de bravoure). La raison de cette brièveté et de cette sécheresse ? Le temps qui presse. Osmin ne veut pas perdre, à raconter des détails superflus, un temps qui pourrait être employé de manière plus utile à organiser la fuite des conjurés. Au lieu d'apitoyer ceux-ci sur le sort de Bajazet, il s'efforce au contraire de les convaincre de songer à eux-mêmes et d'agir le plus rapidement possible. La visée habituelle du récit de la mort du héros, qui est de susciter l'émotion de l'auditoire, est ici inversée : le récit d'Osmin cherche au contraire à réprimer par sa froide neutralité toute émotion susceptible d'entraver le plan de fuite.

Objectivité et subjectivité

Le récit permet ainsi de saisir la situation dramatique du personnage qui le fait. Au travers des mots employés, il révèle les sentiments et la personnalité de ce personnage. Les récits d'Osmin confirment, par exemple, l'image de fidèle serviteur occupé à servir son maître. Le récit d'Acomat à l'acte III montre moins l'image de l'homme politique clairvoyant et détaché des passions qu'il cherche à donner de lui-même que le faux témoin égocentrique, autant aveuglé par ses intérêts que le sont les autres personnages. Son récit prétendument objectif est en fait hautement subjectif. On y remarque à la fois l'insistance avec laquelle il parle de lui-même (on compte ainsi treize références à lui-même) et l'introduction de sa perspective sur les événements rapportés. Chaque geste de Roxane et de Bajazet fait l'objet d'une interprétation personnelle qui l'arrange. En outre, Acomat se met lui-même en scène. Placé dans une position excentrique par rapport à Roxane et à Bajazet, il n'a été qu'un spectateur. Mais, par le fait de se montrer « en train de voir la scène », il en devient comme un des participants. Le fait de voir est une partie du récit. Le fait d'être vu aussi, car Roxane et Bajazet finissent par s'apercevoir de la présence d'Acomat et par l'intégrer véritablement à la scène. Le récit d'Osmin de la mort de Roxane (acte V, sc. 11, v. 1676 à 1693) suit la même démarche. Osmin se met lui aussi en scène « en train de voir » l'accomplissement du meurtre et d'être vu par le meurtrier.

Mais la subjectivité du récit se marque aussi par l'emploi de termes impliquant un jugement moral sur les événements rapportés. Dans le récit de la mort de Roxane, Osmin parle de « cruel » stratagème, de « monstre », d'« attentat » et de « forfait », termes qui indiquent tous des prises de position et qui sont la marque indirecte de sa présence.

De distorsion volontaire en distorsion involontaire, loin d'être un ornement superflu de la pièce, le récit assume ainsi une fonction complexe, à la fois discours subjectif et partial d'une action et action lui-même. Son traitement dans *Bajazet* montre comment Racine a su exploiter au maximum les conventions dramaturgiques de son temps et les adapter à l'atmosphère particulière de sa pièce. Par la « loi d'ironie », par la remise en question de la valeur informative du récit, il joue avec une convention tout en renforçant l'atmosphère d'ambiguïté et de feinte qui envahit le sérail.

Orientalisme et tragédie

« Il me semble qu'il suffit de dire que la scène est dans le sérail » (préface de 1676). D'une phrase, Racine résume ce qui fait l'unité de sa pièce. Le lieu choisi est à lui seul porteur de toute une atmosphère. Clos par définition, le sérail est le lieu tragique par excellence, le lieu où, prisonniers d'eux-mêmes et des autres, les personnages s'entre-déchirent avec violence.

Le harem

Pour les contemporains de Racine, le sérail se définit tout d'abord comme le lieu fascinant où des femmes enfermées se livrent, pour donner un sens à leur vie, à de sanglantes intrigues. « Y a-t-il une cour au monde où la jalousie et l'amour doivent être si bien connues que dans un lieu où tant de rivales sont enfermées ensemble ? » (préface de 1676). Racine ne paraît pas distinguer ici entre l'ensemble du palais du sultan, le sérail, et ce qui est à proprement parler le harem, c'est-à-dire les appartements des femmes, d'où les hommes sont exclus (v. 3 à 5).

Jouissance et toute-puissance

Par souci des bienséances, Racine a escamoté l'aspect de voyeurisme érotique qu'implique la notion de harem, qu'on retrouvera, en revanche, chez Montesquieu. Au milieu de « beautés » à peine mentionnées (v. 97 à 100, 293), la seule Roxane règne sur le cœur d'Amurat. Mais elle n'en est pas moins soumise à son pouvoir, à son caprice, prise entre la nécessité de lui plaire et la crainte de le mécontenter ; elle est véritablement son esclave, sa chose (v. 295 à 298). Jouissance et toute-puissance sont réunies dans la figure d'Amurat.

Or *Bajazet* est l'histoire d'une subversion et d'une inversion de ce rapport de domination, car ce n'est pas à Amurat que Roxane cherche à plaire, mais à un autre homme, Bajazet, le propre frère du sultan. Et c'est de cet autre homme, qui pourtant lui préfère Atalide, et dont la vie est entre ses mains à elle, l'esclave (v. 302, 313-314, 509, 513 à 516, 1087, 1529 à 1539), que dépendent son bonheur et sa joie de vivre (v. 529 à 532, 547 à 551, 555-556, 1527-1528). Jouissance et toute-puissance sont ici dissociées.

Amour et cruauté

En même temps que son impuissance à se faire aimer, Roxane découvre les affres de la jalousie. Violente et dominatrice, sa passion tourne à la haine et s'empreint de cruauté. Dès le début, elle a la menace à la bouche. L'épouser ou mourir, voir mourir Atalide ou mourir lui-même : tels sont les choix dans lesquels Roxane enferme Bajazet (v. 509 à 512, 1544 à 1548). Car l'amour racinien est agressif. Jalouse de Roxane, Atalide elle-même accepte d'envisager la mort de Bajazet plutôt que de le céder à sa rivale (v. 685 à 688). Mais l'amour racinien est aussi malheureux. Souvent non partagé, il est inséparable de la souffrance, et le mal que l'on fait à l'être aimé, on le ressent d'abord soi-même (v. 555 à 557, 1734 à 1736).

Lieu d'une rivalité de femmes, le sérail se révèle être le terrain privilégié de l'étude de passions qui s'exaspèrent. Amour, jalousie, égoïsme, cruauté touchent à leur paroxysme et ne peuvent mener qu'à la mort (v. 1272 à 1281, 1312 à 1315, 1566-1567, 1728 à 1733, 1737). La métaphore galante des « nœuds » de l'amour et du mariage renvoie aussi aux lacets qui servent à étrangler Bajazet (v. 1624-1625).

Le lieu de l'enfermement

Murs et prison

Harem, le sérail est aussi une prison, le lieu où l'on enferme, le lieu où l'on serre. L'orthographe ancienne du mot — « serrail » — joue sur cette fausse étymologie. Tout un peuple d'esclaves et de muets y vit renfermé dans ses murs (v. 435-436, 1416-1417), Atalide y a passé son enfance (v. 171), Bajazet y est maintenant retenu sur l'ordre du sultan (v. 128, 611) et Roxane elle-même, la toute-puissante Roxane, y est claustrée comme les autres. Dans cet espace clos, la relative liberté de mouvement dont disposent Atalide et Bajazet se restreint encore au cours de la pièce, puisque, au dernier acte, ils se retrouvent confinés dans leurs appartements. Seul Acomat peut, en fait, circuler librement.

Portes et transgression

Les murs qui enserrent le palais et qui retiennent prisonniers les trois principaux protagonistes ont néanmoins des portes qui peuvent s'ouvrir (v. 507-508). Leur ouverture est alors un signe de révolte, le signe du désordre qui règne au sérail au lieu de l'« ordre accoutumé ». Les franchir est à la fois une tentation et une transgression. Pour Acomat, c'est pénétrer dans un lieu interdit à tout autre qu'au sultan, de force (v. 627 à 630, 1422 à 1427, 1628 à 1631) ou avec la complicité de Roxane (v. 201, 794 à 796, 875 à 877). Pour Bajazet, c'est échapper à l'esclavage (v. 237-238). L'un y entre pour que l'autre puisse en sortir (v. 629 à 632). Fermées, elles sont le signe de la sujétion au sultan, le symbole de son despotisme et de l'esclavage physique et moral des habitants du sérail (v. 571-572, 661-662).

Portes et liberté

Les portes représentent aussi un espoir de fuite et d'évasion, une promesse de liberté concrétisée par l'espace extérieur, la mer qui vient « laver le pied » des murs du palais et où attendent les vaisseaux d'Acomat (v. 872 à 874, 1720-1721). Mais c'est uniquement pour le vizir que la mer est en définitive porteuse de liberté ; pour Bajazet, elle n'apporte que le danger et la mort sous les traits d'Orcan, le messager du sultan (v. 1097 à 1101). La seule porte qui s'ouvre pour lui, c'est celle, non pas du sérail, mais du salon où Roxane le voit pour la dernière fois. Et cette porte ne s'ouvre que sur la mort (v. 1457, 1565). Roxane n'a qu'à dire « Sortez » pour le condamner (v. 1565).

Le règne de la peur

Harem, prison, le sérail est aussi le lieu où se manifeste la toute-puissance du sultan, qui est d'autant plus à craindre qu'il est invisible. Car c'est par la peur (v. 1632, 1662-1663), plus encore que par la force effective que cette toute-puissance s'exerce.

Le labyrinthe

Le sérail est un lieu obscur (v. 209), où de longs corridors sinueux (v. 1425) évoquent l'image d'un labyrinthe dont on ne sort pas vivant. On y court en vain, on se perd dans le dédale de ses couloirs (v. 1658 à 1662). Le cœur même de ce labyrinthe est une impasse, la pièce sans issue où est tué Bajazet.

Silence et mystère

Le sérail est aussi un lieu silencieux, où circulent des muets, où, par peur pour leur vie, les esclaves n'osent parler (v. 434-438), où Bajazet lui-même ne peut révéler ses sentiments (v. 560). Tout y est secret, mystérieux. On ne sait ce que font les personnages une fois hors de l'espace scénique, ni où ils vont ni d'où ils viennent, à l'exception toutefois d'Acomat dont le cheminement est clair. Les mouvements des autres sont imprévisibles. Roxane surgit ainsi deux fois à l'improviste (acte III, sc. 5 et acte IV, sc. 2). D'où la nécessité de garder des secrets, mais aussi la difficulté à les garder.

L'omniprésence du danger

Le sérail est aussi un lieu dangereux, où tout est suspect, menaçant, où l'on se sent pris en faute, coupable, épié par des regards que l'on ne voit pas. Dans cette atmosphère lourde et irrespirable, la peur règne et la mort rôde à chaque pas (v. 611 à 613). Elle attend derrière la porte où se tiennent Orcan et les muets (v. 1455). Sortis de l'espace protecteur que représente le salon, les personnages sont sans défense.

Un univers du regard

Voir et aimer

Dans un monde où l'on parle peu, où la parole même porte la mort (v. 73-74, 1185 à 1192, 1565), le regard est le seul moyen de communication entre les personnages. Atalide et Bajazet se sont aimés sans se le dire (v. 366). Les regards leur ont suffi pour se comprendre. Un regard suffit pour faire naître l'amour, car voir, c'est aimer. Comme Phèdre a vu Hippolyte et l'a aimé, Roxane a vu Bajazet et l'a aimé d'un amour qui est avant tout un bouleversement des sens (v. 141-142, 153 à 156). Voilà aussi pourquoi Atalide, jalouse, vit dans la crainte que Bajazet, en voyant la sultane, ne finisse par l'aimer (v. 917-918).

Voir et savoir

Le regard amoureux est aussi un regard qui observe et qui cherche à connaître les sentiments et les pensées de l'autre. Voir, c'est vouloir savoir. Roxane cherche sans cesse à voir Bajazet pour s'assurer de ses sentiments (v. 255, 329 à 332, 1463). Mais le regard amoureux est à son tour observé par un autre regard qui tente de pénétrer son secret. Ainsi, dans le sérail, chacun observe l'autre, l'épie. Et Jean Starobinski a justement défini le sérail comme un univers où les regards sont épiés par d'autres regards.

L'aveuglement

On cherche à comprendre et on comprend, mais on s'aveugle aussi. Et cet aveuglement est parfois volontaire. Roxane s'obstine à ne pas voir des vérités qui lui crèvent les yeux (v. 1042, 1065 et suiv., 1236, 1250, 1296 à 1301) ; aveuglée par la jalousie, Atalide ne voit plus que l'amour de Bajazet pour Roxane est un rôle qu'elle-même fait jouer au prince ; Acomat, si perspicace en politique (v. 185 à 200, 643 à 650, 1389 à 1397), est incapable de voir l'amour de Bajazet et d'Atalide (v. 1379 à 1383) même s'il voit clair dans le cœur de Roxane (v. 1408 à 1413).

Dans le sérail de *Bajazet,* la fonction du regard en vient finalement à se pervertir. Le regard clairvoyant n'est plus qu'un regard qui s'aveugle. Quelque chose est intervenu pour faire obstacle à la communication entre les personnages. Et ce quelque chose, c'est la feinte (v. 147, 388, 666, 670, 1009, 1080, 1132, 1136, 1481, 1515, 1574).

La feinte

Dans un lieu où les murs mêmes semblent avoir des yeux et des oreilles, feindre est à la fois inévitable et nécessaire. La ruse et le mensonge sont, en effet, les seules armes que laisse aux protagonistes le régime despotique du sultan. Ce n'est plus, dès lors, un jeu, mais une question de vie ou de mort. Feindre apparaît ainsi comme le ressort principal de l'intrigue.

L'emboîtement des feintes

Bajazet est la pièce de Racine où les personnages mentent et trompent le plus. De fait, l'intrigue pourrait se ramener à un tissu de feintes qui s'emboîtent les unes dans les autres, qui se soutiennent ou se nuisent mutuellement.

Au départ, il y a la feinte d'Acomat, le complot contre Amurat dont le vizir cache les vraies motivations aux autres conjurés. Car ce qu'il cherche véritablement à faire en aidant Bajazet, c'est à retrouver le pouvoir qu'il est en train de perdre et à s'assurer un appui contre Bajazet devenu sultan en épousant Atalide (v. 176 à 200). Il sert avant tout ses propres intérêts. Les autres feintes ne se comprennent que dans le cadre du complot d'Acomat. Pour mettre Bajazet sur le trône, Acomat a cru devoir le faire aimer par la sultane, tout en cachant cet amour aux espions éventuels d'Amurat (v. 95 à 164). Atalide a servi à cette fin de paravent à Roxane, Bajazet et elle ont alors fait semblant de s'aimer pour tromper le regard des muets (v. 165 à 174). Or Atalide et Bajazet s'aiment véritablement et doivent cacher cet amour à leurs complices, Acomat et Roxane, tout en faisant semblant de s'aimer pour cacher la liaison de la sultane et de Bajazet (v. 345 à 388). La feinte devient si compliquée qu'Atalide finit par s'y perdre (v. 902 à 922, 924 à 938, 956 à 974) — bel exemple, sur le mode tragique, du thème comique du trompeur trompé — et que Roxane, à l'insu des autres, décide à l'acte IV de faire semblant d'obéir à Amurat pour sonder les véritables sentiments de la princesse (v. 1163 et acte IV, sc. 3). Dès lors les autres feintes (sauf le jeu d'Acomat) éclatent l'une après l'autre.

De la feinte au rôle théâtral

Mais qui dit feinte dit rôle à jouer. Chacun des protagonistes est donc tour à tour metteur en scène, acteur et spectateur. Acomat multiplie les rôles et joue à la fois « le serviteur dévoué », « l'ami fidèle », et « l'amant discret » ; Atalide, c'est le *go-between,* le « postillon d'amour », presque la confidente de Roxane ; Bajazet, pour prendre la place de son frère, doit se faire l'amant de Roxane. Mais c'est de tous celui qui joue le plus mal. Il est las de toujours feindre, de toujours mentir (v. 669, 741 à 744, 753 à 754, 1008 à 1010). Son ton, son visage le trahissent (v. 744 à 748, 993, 1516-1517), et il faut toute l'habileté d'Atalide et la bonne volonté de Roxane pour lui faire tenir son masque. Acomat en revanche réussit à tromper son monde jusqu'au bout.

Comme pour montrer la fausseté des moyens habituels de communication, le regard et la parole, Roxane, enfin désabusée, demandera des actes à Bajazet ; la spectatrice involontaire de la feinte d'Atalide et de Bajazet qu'elle a été demandera pour être convaincue un autre spectacle qu'elle organisera elle-même, le spectacle vrai de la mort (v. 609 à 614, 687 à 690, 720-721, 763 à 768, 1278 à 1281, 1324 à 1329, 1544-1545, 1611 à 1621, 1676 à 1703, 1747 à 1749).

Le spectacle de la mort

S'il est un thème qui domine les autres, c'est, en effet, celui de l'omniprésence de la mort. *Bajazet* est aussi l'une des tragédies de Racine où l'on meurt le plus, car tout y mène à la mort. Les personnages en parlent sans cesse et, comme pour l'exorciser, affirment la mépriser. La mort apparaît même comme une libération, une manière d'échapper au dilemme dans lequel ils se débattent, la solution enfin à tous leurs problèmes. Mais justement cette solution leur est interdite, car leur mort entraîne celle de l'être aimé. Ni Atalide ni Bajazet ne peuvent mourir sans s'ôter mutuellement toute raison de vivre (v. 763 à 768, 773 à 775, 785). Il leur est également impossible de donner la mort à autrui sans en souffrir eux-mêmes. Au plus fort de sa rage, Roxane sait très bien qu'elle ne survivra pas à Bajazet si elle le fait exécuter (v. 557). C'est à cette impossibilité, à cette nostalgie de la mort que tient le tragique de la pièce.

Il faudra l'horrible marché de Roxane à l'acte V (v. 1544 à 1548) pour que les protagonistes puissent sortir de l'impasse tragique et que Bajazet se sente libre de choisir la mort

(v. 1560 à 1563). Mais Atalide s'accuse de cette mort et se tue (v. 1737 à 1739). Roxane meurt aussi. Non pas de sa propre main, mais de celle d'Orcan, qui ne lui laisse pas le temps du suicide ou de la vengeance d'Acomat (v. 1678 à 1681). Bien sûr, tous étaient déjà condamnés à mort. En choisissant leur mort, ils n'ont fait que devancer celle ordonnée par le sultan. Ils n'ont eu, en fait, que l'illusion de choisir leur mort. La logique d'un lieu clos, de la passion exaspérée comme l'ordre du sultan les y menaient inéluctablement.

Racine a ainsi su réunir tous les thèmes évoqués dans l'imagination de ses contemporains par le lieu choisi du sérail en une œuvre complexe où la couleur locale est surtout état d'âme et où le langage raffiné de l'amour que parlent les protagonistes masque à peine la violence et la cruauté que réclame la « barbarie » du lieu.

Racine, *Bajazet* et la critique

Malgré leur vif succès auprès du public, les tragédies de Racine ont été à leur création l'objet de polémiques littéraires parfois violentes. Certaines ont même donné lieu à de véritables « querelles ». *Bajazet* n'a pas fait exception.

Dès les premiers jours, le débat s'est porté sur ce qui, pour les contemporains de Racine, constituait le problème central de l'œuvre, celui de la vérité historique. Racine avait voulu faire turc et ne « rien changer ni aux mœurs ni aux coutumes de la nation » (préface de 1672). Or, pendant plus de deux siècles, on allait l'accuser du contraire. De fait, ce n'est véritablement qu'au début du XXᵉ siècle que s'est dessinée une tentative pour réhabiliter une pièce aussi longtemps décriée et pour en chercher la signification ailleurs que dans des effets manqués de couleur locale.

Les premières réactions

Le public de l'époque semble avoir fait un accueil favorable à la pièce. Mais très vite des réserves sont apparues. On laissait ainsi entendre que la couleur locale n'y était pas respectée et que les Turcs de Racine se comportaient en fait comme des Français. Sous couleur de défendre la pièce, Donneau de Visé, le rédacteur du *Mercure galant,* journal alors à la mode, écrivait par exemple :

On représenta ces jours passés sur le théâtre de l'Hôtel de Bourgogne une tragédie intitulée *Bajazet*, et qui passe pour un ouvrage admirable [...]. Le sujet de cette tragédie est turc,

à ce que rapporte l'auteur dans sa Préface. Voici en deux mots ce que j'ai appris de cette histoire dans les historiens du pays, par où vous jugerez du génie admirable du poète, qui sans en prendre presque rien, a su faire une tragédie si achevée. [...]
Je ne puis être pour ceux qui disent que cette pièce n'a rien d'assez turc ; il y a des Turcs qui sont galants ; et puis elle plaît : il n'importe comment ; et il ne coûte pas plus, quand on a à feindre, d'inventer des caractères d'honnêtes gens et de femmes tendres et galantes, que ceux de barbares qui ne conviennent pas au goût des dames de ce siècle, à qui sur toutes choses il est important de plaire.

Donneau de Visé, le Mercure galant, 9 janvier 1672.

Dans une lettre à sa fille, Mme de Sévigné se faisait l'écho de ces critiques et condamnait la pièce sans appel :

Vous avez jugé très juste et très bien de *Bajazet,* et vous aurez vu que je suis de votre avis. Je voulais vous envoyer la Champmeslé pour vous réchauffer la pièce. Le personnage de Bajazet est glacé ; les mœurs des Turcs y sont mal observées ; ils ne font point tant de façons pour se marier. Le dénouement n'est point bien préparé : on n'entre point dans les raisons de cette grande tuerie. Il y a pourtant des choses très agréables, mais rien de parfaitement beau, rien qui enlève, point de ces tirades de Corneille qui font frissonner. Ma fille, gardons-nous bien de lui comparer Racine ; sentons-en la différence. Il y a des endroits froids et faibles, et jamais il n'ira plus loin qu'*Alexandre* et qu'*Andromaque. Bajazet* est au-dessous, au sentiment de bien des gens, et au mien, si j'ose me citer. Racine fait des comédies pour la Champmeslé : ce n'est pas pour les siècles à venir. Si jamais il n'est plus jeune, et qu'il cesse d'être amoureux, on verra si je me trompe. Vive donc notre vieil ami Corneille !

Mme de Sévigné, Lettre à Mme de Grignan, 16 mars 1672.

Derrière toutes ces critiques se lisent, en effet, les résistances du parti cornélien au modèle galant de la tragédie tel que le

215

propose l'œuvre de Racine. Le *Segraisiana* devait même faire dire à Corneille un demi-siècle plus tard :

Étant une fois près de Corneille sur le théâtre à une représentation de *Bajazet*, il me dit : « je me garderais bien de le dire à d'autres qu'à vous, parce qu'on dirait que j'en parlerais par jalousie ; mais prenez-y garde, il n'y a pas un seul personnage dans le *Bajazet* qui ait les sentiments qu'il doit avoir, et que l'on a à Constantinople ; ils ont tous, sous un habit turc, le sentiment qu'on a au milieu de la France ». Il avait raison, et l'on ne voit pas cela dans Corneille : le Romain y parle comme un Romain, le Grec comme un Grec, l'Indien comme un Indien, et l'Espagnol comme un Espagnol.

Segraisiana, 1721.

De Corneille à Lamartine, un même reproche ...

L'absence de couleur historique était devenue le chef d'accusation préféré des critiques. Elle allait longtemps le rester. Voltaire, entre autres, soulignait le manquement à la convenance :

Je vous demande, monsieur, si, à ce style dans lequel tout le rôle de ce Turc est écrit, vous reconnaissez autre chose qu'un Français qui s'exprime avec élégance et douceur. Ne désirez-vous rien de plus mâle, de plus fier, de plus animé dans les expressions de ce jeune Ottoman qui se voit entre Roxane et l'empire, entre Atalide et la mort ? C'est à peu près ce que Pierre Corneille disait à la première représentation de *Bajazet,* à un vieillard qui me l'a raconté : « Cela est tendre, touchant, bien écrit, disait-il, mais c'est toujours un Français qui parle. » Vous sentez bien, Monsieur, que cette petite réflexion ne dérobe rien au respect que tout homme qui aime la langue française doit au nom de Racine. Ceux qui désirent un peu plus de coloris à Raphaël et au Poussin ne les admirent pas moins.

Voltaire, *Lettre à de La Noue,* 1739.

Et, cent ans plus tard, Lamartine ne disait pas autre chose :

Bajazet offre des beautés supérieures, mais corrompues par la ridicule application des mœurs galantes d'une cour française aux mœurs des Ottomans.

Lamartine, *Cours familier de littérature*, 1856.

La critique moderne

Le cadre

Au XXᵉ siècle, le reproche d'absence de vérité historique a fini par faire place à une plus juste appréciation du côté « turc » de la pièce.

Bajazet constitue une recherche aiguë sur la nature du lieu tragique. On le sait, par définition, ce lieu est clos. Or, jusqu'à *Bajazet*, la clôture du lieu racinien reste circonstancielle ; il s'agit, en général, d'une chambre du palais ; c'est l'entour lui-même, le palais, qui forme une masse secrète et menaçante (notamment dans *Britannicus*, où la tragédie est déjà un labyrinthe). Dans *Bajazet*, le lieu est clos par destination, comme si toute la fable n'était que la forme d'un espace : c'est le sérail. Ce sérail est d'ailleurs apparu à l'époque comme la principale curiosité de la pièce ; on dirait que le public pressentait dans cette institution une sorte de caractère topique, l'un des thèmes les plus importants de l'imagination humaine, celui de la concavité.

Roland Barthes, *Sur Racine*, le Seuil, 1963.

Le lieu racinien est valorisé, non seulement pour s'adapter à la fable de chaque tragédie, mais pour se définir par rapport au problème essentiel, celui de la mort. À cet égard, c'est *Bajazet* qui apporte la solution la plus décisive. Les personnages ne peuvent continuer à mener une vie précaire que s'ils parviennent à rester dans le lieu de la scène. Toute sortie est un signe de mort. « Gardez de me laisser sortir », dit Roxane à Bajazet. Et quand elle a posté les muets dans la coulisse, elle prévient clairement le spectateur de la portée des déplacements de Bajazet : « S'il sort, il est mort. » Le « Sortez » ne laisse donc aucun doute. Aucune tragédie n'organise avec pareille sécheresse démonstrative le contraste entre la scène qui est vie et la coulisse, lieu de la mort.

Jacques Schérer, *Racine et / ou la cérémonie*, P.U.F., 1982.

Les caractères

Les travaux récents en matière de psychologie et de psychanalyse ont aussi permis de mettre en lumière l'ambivalence du sentiment amoureux :

L'équivalence de l'amour et de la haine, nés sans cesse l'un de l'autre, cet axiome qui est la négation même du dévouement chevaleresque, est au centre de la psychologie racinienne de l'amour. Encore entrevoit-on, chez Pyrrhus et chez Hermione, la possibilité d'une autre attitude, si leurs vœux étaient exaucés. On peut en dire autant de l'Atalide de *Bajazet*, partagée entre le désir de sauver la vie de Bajazet, qu'elle aime, en renonçant à lui pour apaiser Roxane, et celui de provoquer sa mort plutôt que de le perdre, en faisant éclater leur amour ; le premier désir triomphe dans la conscience, bien que le second soit assez fort pour dicter la conduite dans un moment décisif et déchaîner la catastrophe [...]. Racine est allé plus loin avec le personnage de Roxane : en elle l'agressivité semble fondue en toute occasion à l'attitude amoureuse, et on a peine à l'imaginer heureuse ; dès le début la menace est dans sa bouche comme l'expression naturelle de l'amour.

Paul Bénichou, *Morales du Grand Siècle*, Gallimard, 1948.

On a souligné alors la complexité psychologique des personnages de la pièce, dont les critiques des siècles passés avaient fait des caractères monolithiques. Le « personnage lavette » que Bajazet était pour Brisson, la tendre et douce Atalide, l'« animal effréné » que le critique Jules Lemaître (1853-1914) voyait en Roxane ont maintenant retrouvé toute l'épaisseur de la vie. Ce qui a eu pour effet, dans certaines mises en scène modernes, de rééquilibrer la pièce et de revivifier le rôle d'Atalide, tout en faisant apparaître Roxane non plus comme la maîtresse du jeu, mais comme sa première victime.

La nature de la pièce

La nature de la pièce est dès lors remise en question. S'agit-il d'une tragédie ? ou plutôt d'un drame ? Les avis sont partagés.

Dans la tragédie politique, le captif Bajazet dépend de Roxane, la toute-puissante sultane ; mais dans la tragédie amoureuse, Roxane dépend de l'aimable Bajazet. Or il n'y a qu'une seule tragédie, où précisément passion et politique sont à jamais inconciliables, où amour et pouvoir ne sont à aucun moment confondus. Atalide et Bajazet s'aiment, mais les conditions politiques leur interdisent de réaliser cet amour : ils ont l'amour, mais non le pouvoir ; Roxane, elle, a le pouvoir, mais non l'amour. On le voit ; les personnages sont engagés dans le jeu subtil et déchirant de deux fatalités ennemies qui ne s'accordent que pour leur malheur.

Mais quand bien même les héros éviteraient miraculeusement les pièges conjugués de ces deux fatalités, il est une troisième fatalité qui pèse sur eux et à laquelle en aucun cas ils ne sauraient échapper : la vengeance du Sultan.

Raymond Picard, Introduction à *Bajazet*, in *Œuvres complètes* (tome I), Gallimard, 1950-1952.

On comprend que dans cet univers rien de ce qui arrive ne puisse être nécessaire, ou plutôt que tout y soit *nécessairement accidentel*. La ruse de Bajazet aurait pu fort bien réussir ; dans ce cas, nous aurions eu une comédie du genre de celles qu'écrira plus tard Marivaux (Roxane pardonnée se réconciliant avec les deux amants, etc.). Racine a choisi le drame. Peut-être sentait-il qu'il sauvegardait ainsi mieux, ou plus exactement qu'il abandonnait moins l'unité de la pièce, menacée dans ce monde dramatique par l'existence des survivances tragiques déjà mentionnées (mauvaise conscience de Bajazet, dieux exigeant une pureté absolue). [...]

Mais en allant plus loin dans ce sens, il risquait de rompre encore plus l'unité en accentuant l'élément nécessaire dans un univers où tout ce qui compte vraiment est accidentel. C'est pourquoi il ne peut amener la fin dramatique elle-même, la découverte de la ruse, que d'une manière *expressément et volontairement accidentelle* : l'évanouissement d'Atalide et la découverte de la lettre. Cet accident inconcevable dans une tragédie, *nécessaire en tant qu'accident dans le drame,* souligne mieux que ne saurait le faire aucune analyse, la distance qui sépare *Bajazet* des trois pièces qui l'ont précédée.

Lucien Goldmann, le Dieu caché, Gallimard, 1959.

Ou bien la pièce est-elle l'ancêtre des comédies d'Alexandre Dumas fils ? Ce « théâtre de cour » qu'est *Bajazet* marquerait ainsi « l'affaissement du tragique en faveur de l'intrigue et du conflit amoureux » :

La « tragédie » de *Bajazet* dans l'œuvre de Racine est exemplaire [...] en ce que la communication avec les dieux n'y est pas déterminante et que les personnages dirigent l'action. Leur drame relève de la psychologie, du goût du pouvoir, du désir sexuel et pour trois personnages sur quatre, d'une coupable et trop humaine duplicité.

Bajazet, mieux qu'aucune autre pièce de Racine peut-être, annonce et ouvre la voie à la comédie dramatique bourgeoise qui caractérisera le théâtre français pendant des siècles.

Silvia Monfort, « Bajazet, tragédie galante »,
programme de Bajazet, 1986.

D'autres critiques, enfin, préfèrent y voir l'expression d'une vision janséniste du monde :

Il se peut également que ce sentiment soudain de culpabilité [des personnages] corresponde à la connaissance qu'ils viennent brusquement d'acquérir de la déchéance morale de l'empire ottoman, déchéance symbolisée par le carnage final dans le sérail, désormais ouvert à toutes les forces destructrices. Somme toute, dès le moment où Bajazet ne peut plus donner l'exemple, *l'ordre accoutumé* reprend tout son pouvoir sur les cœurs.

Nous pouvons découvrir dans *Bajazet* une vision janséniste du monde. L'irruption des forces malfaisantes au dénouement ainsi que la mort obscure du héros semblent indiquer que la valeur morale doit rester sans lendemain dans un univers corrompu, privé de la grâce divine. L'aventure héroïque du prince ne représente qu'une brève interruption de *l'ordre accoutumé* et ne laissera aucune trace.

J.-D. Hubert, *Essai d'exégèse racinienne*, Nizet, 1985.

Avant ou après la lecture

Dissertations et commentaires

1. Imaginer la scène de l'entrevue entre Bajazet et Roxane (entre l'acte II et l'acte III).

2. Faire le portrait physique et moral de Bajazet en mettant en lumière le déchirement intérieur du personnage.

3. « Quelle différence entre Acomat dans *Bajazet* et Flaminius dans *Nicomède* ! », a écrit Voltaire dans son *Commentaire sur Corneille*. Comparer la manière dont Corneille et Racine ont conçu et traité des personnages de « politiques ».

4. L'amour racinien : dans quelle mesure la distinction habituelle entre *éros,* désir sensuel, violent et dominateur, et *agapè,* sentiment plus profond, fait de tendresse et de dévouement à l'autre, peut-elle s'appliquer à *Bajazet* ? Est-ce véritablement de deux sortes d'amour qu'il s'agit ? Vous justifierez votre réponse en vous appuyant sur le texte.

5. Racine a écrit dans sa préface de 1676 : « L'éloignement des pays répare en quelque sorte la trop grande proximité des temps. » Dans quelle mesure l'éloignement est-il nécessaire au héros tragique ?

6. Faire le commentaire des passages suivants :
— feinte et « éros sororal » (I, 4, v. 345 à 406) ;
— un discours d'ambassadeur (II, 1, v. 421 à 450) ;
— le « récit fidèle » d'Acomat (III, 2, v. 867 à 900) ;
— « je veux tout ignorer », ou comment s'aveugler (IV, 4, v. 1209 à 1250) ;
— la mort du héros : un récit funèbre pas comme les autres (V, 11, v. 1675 à 1704).

La pièce à la scène

1. Étudier les didascalies de la pièce. Chercher les indications scéniques que contient le texte poétique lui-même. Voir quelle mise en scène elles suggèrent (déplacements, attitudes, gestes, expressions, tons, etc.).

2. Réfléchir sur la diction des monologues et des récits. Voir comment il est possible de varier le ton pour éviter la monotonie.

3. Imaginer le décor et l'éclairage de la pièce.

Recherches

Imitation et adaptation

1. Dans *Zulime*, Voltaire s'est inspiré de *Bajazet*. Lire la pièce. Voir ce que Voltaire a repris à la tragédie de Racine et comment il s'en est écarté.

Tragédie et comédie

2. *Bajazet* présente une situation en triangle : un homme pris

entre deux femmes. Comparer la pièce avec d'autres tragédies construites autour de la même situation (par exemple *Othon* de Corneille).

3. Cette situation se retrouve aussi dans nombre de comédies classiques et modernes. Trouver lesquelles. Essayer de déterminer ce qui fait le traitement comique du sujet.

Le thème de la claustration
4. Chercher et lire des œuvres qui traitent de ce thème, comme *Huis clos* de Sartre ou *la Maison de Bernarda Alba* de Lorca.

L'Orient et la couleur locale
5. Lire d'autres œuvres qui mettent en scène l'Orient (Montesquieu, Voltaire, Hugo, etc.). Faire une étude comparative de l'utilisation de la couleur locale dans ces œuvres. Relever le vocabulaire utilisé.

6. Rechercher les peintres français qui ont été attirés par l'Orient. Noter leurs sujets préférés. Voir quelles ont pu être les raisons historiques de cet attrait.

7. La langue française comporte un certain nombre de mots d'origine turque ou arabe. Les rechercher en s'aidant du livre de H. Mitterand, *les Mots français*, P.U.F., 1963 (rééd. 1981, coll. « Que sais-je ? ») et de celui de P. Guiraud, *l'Argot*, P.U.F., 1956 (rééd. 1985, coll. « Que sais-je ? »). Sont-ils nombreux ? À quel registre appartiennent-ils ? Comparer avec les emprunts anglo-saxons.

Le machiavélisme
8. Certains des discours d'Acomat sont empreints de machiavélisme. Les relever après avoir défini le sens du terme « machiavélisme ». Lire *le Prince* de Machiavel (en particulier le chapitre 15 et les suivants).

Bibliographie

Édition

Racine, théâtre complet, annoté par J. Morel et A. Viala, coll. « Classiques Garnier », 1980.

Le genre tragique et le milieu littéraire au XVIIᵉ siècle

P. Bénichou, *Morales du Grand Siècle,* Gallimard, 1948 (rééd. en coll. « Folio essais », 1988).

J. Morel, *la Tragédie,* A. Colin, coll. « U », 1964.

J. Truchet, *la Tragédie classique en France,* P.U.F., 1975 (rééd. 1989).

A. Viala (sous la direction de), *l'Esthétique galante,* Société de littérature classique (Toulouse), 1990.

La carrière et l'esthétique de Racine

R. Barthes, *Sur Racine,* le Seuil, 1963 (rééd. en coll. « Points Seuil », 1979).

L. Goldmann, *le Dieu caché,* Gallimard, 1959.

M. Gutwirth, *Jean Racine, un itinéraire poétique,* Klincksieck, 1970.

C. Mauron, *l'Inconscient dans l'œuvre et la vie de Racine,* Ophrys, 1957.

A. Niderst, *Racine et la tragédie classique,* P.U.F., coll. « Que sais-je ? », 1978 (rééd. 1986).

R. Picard, *la Carrière de Jean Racine,* Gallimard, 1961.

A. Viala, *Racine, la stratégie du caméléon,* Seghers, 1990.

Bajazet

J. Brody, « *Bajazet,* or the Tragedy of Roxane », *Romanic Review,* déc. 1969.

X. de Courville, *Bajazet,* le Seuil, coll. « Mises en scène », 1947.

J.-D. Hubert, *Essais d'exégèse racinienne* (chapitre sur *Bajazet* et « l'ordre accoutumé »), Nizet, 1985.

La Romaine, la Turque et la Juive, publications de l'université de Provence, 1986, P. Ronzeaud éd.

J. Schérer, *Racine : Bajazet,* Centre de documentation universitaire, Paris, 1963.

E. Van der Starre, *Racine et le théâtre de l'ambiguïté : étude sur* « *Bajazet* », publications de l'université de Leyde, 1966.

La survie de l'œuvre de Racine

M. Descotes, *les Grands Rôles du théâtre de Jean Racine,* P.U.F., 1957.

J.-J. Roubine, *Lectures de Racine,* A. Colin, coll. « U2 », 1971.

Petit dictionnaire
pour commenter *Bajazet*

action *(n. f.)* : ce qui se passe dans une pièce, l'ensemble des événements et leur enchaînement.

adversatif *(adj.)* : se dit d'un mot qui marque une opposition (comme « mais », par exemple).

alexandrin *(n. m.)* : vers de douze syllabes ; il comporte en général une coupure (ou césure) en son milieu, qui le divise en deux hémistiches.

allégorie *(n. f.)* : représentation d'une pensée abstraite par une image concrète. Ex. : v. 954. « Et pour juge entre nous prendre la Renommée. » Dans l'art de la Renaissance, la Renommée était souvent représentée sous les traits d'une jeune fille vêtue de blanc, ayant des ailes aux épaules et une trompette à la main.

allitération *(n. f.)* : répétition des mêmes consonnes dans une suite de mots pour produire un effet de rime ou d'harmonie. Ex. : v. 9.

allusion *(n. f.)* : manière de parler d'une chose ou d'une personne sans la nommer explicitement. Ex. : v. 664. « On » renvoie ici à Roxane.

analogie *(n. f.)* : établissement d'une ressemblance entre des idées essentiellement différentes.

antithèse *(n. f.)* : mise en rapport dans une même phrase de deux idées ou de deux expressions de sens contraire. Ex. : v. 1443-1444.

assonance *(n. f.)* : répétition du même son dans un vers. Ex. : v. 1224 à 1226.

asyndète *(n. f.)* : suppression de tout terme de liaison entre des mots ou des propositions qui se trouvent pourtant dans un rapport de coordination. Ex. : v. 1067.

bienséance *(n. f.)* : désigne, dans le théâtre classique, la règle du respect du bon goût qui interdisait de représenter sur scène toute action violente ou vulgaire, capable de choquer le public.

catharsis *(n. f.)* : théorie héritée de la dramaturgie grecque antique selon laquelle le théâtre opère la purgation des passions chez le spectateur.

césure *(n. f.)* : pause, coupe rythmique à l'intérieur d'un vers.

confident *(n. m.)* : désigne, dans le théâtre classique, le personnage secondaire qui accompagne le protagoniste et à qui celui-ci confie ses pensées et ses sentiments les plus secrets. Ex. : Osmin est le confident d'Acomat.

convenance *(n. f.)* : aussi appelée bienséance interne. Sorte de réalisme historique demandant l'accord des personnages avec les temps et les lieux où on les représente comme ayant vécu.

couleur locale *(n. f.)* : ensemble de moyens servant à caractériser un lieu dans un temps donné.

coup de théâtre : rebondissement, retournement soudain de situation.

crise *(n. f.)* : brève période de temps où les tensions sont portées à leur point le plus fort dans une pièce.

dénouement *(n. m.)* : partie finale d'une pièce qui en résout l'intrigue.

didascalie *(n. f.)* : indication scénique donnée par l'auteur. Il existe des didascalies explicites, indiquées en italique ou entre parenthèses, et des didascalies implicites, ce sont alors les mots prononcés par les personnages qui indiquent un mouvement, une attitude, etc.

diérèse *(n. f.)* : prononciation en deux syllabes d'une diphtongue pour les besoins de la métrique du vers. Ex. : v. 531.

dramatique *(adj.)* : désigne, en français classique, tout ce qui a rapport au théâtre ; en français moderne, peut aussi signifier ce qui est émouvant et poignant, ou ce qui est dangereux ou pénible.

dramaturgie *(n. f.)* : art d'écrire des pièces de théâtre.

drame *(n. m.)* : au sens large, toute pièce de théâtre ; dans un sens plus strict, une pièce de théâtre de ton tragique mais comportant des éléments réalistes, familiers, voire comiques (genre répandu au XIXᵉ siècle) ; par extension, toute pièce de caractère grave ou pathétique.

élégiaque *(adj.)* : propre à l'élégie (poème au sujet tendre et triste) ; se dit par extension de tout ce qui est dans un ton tendre et mélancolique.

ellipse *(n. f.)* : suppression d'un ou de plusieurs mots qui ne sont pas indispensables à la compréhension de la phrase. Ex. : v. 1067.

équivoque *(n. f. et adj.)* : caractère de ce qui peut s'interpréter de plusieurs manières ; ambiguïté. Ex. : v. 1625. Les « nœuds » dont parle Roxane sont à la fois les liens du mariage et les lacets qui ont servi à étrangler Bajazet.

esthétique *(n. f. et adj.)* : la science du beau dans la nature et dans l'art, la conception particulière du beau d'un artiste, d'un écrivain.

euphémisme *(n. m.)* : figure de style qui consiste à parler en atténuant, en minimisant ce qu'on a à dire. Ex. : v. 1706.

euphonie *(n. f.)* : succession harmonieuse de sons.

exposition *(n. f.)* : partie initiale d'une pièce où sont données les informations nécessaires à la compréhension de l'action.

galanterie *(n. f.)* : attitude esthétique de l'époque de Louis XIV qui privilégiait le raffinement des manières et du langage.

hémistiche *(n. m.)* : moitié d'un alexandrin, marquée par une césure.

héroïque *(adj.)* : désigne à l'origine les exploits des héros, mais signifie aussi digne d'un héros.

héros / héroïne *(n.)* : un demi-dieu dans la mythologie antique ; personnage principal d'une œuvre littéraire.

hyperbole *(n. f.)* : manière de s'exprimer en exagérant ; emphase. Ex. : v. 1737.

ironie *(n. f.)* : manière de s'exprimer qui consiste à dire le contraire de ce que l'on veut faire entendre. Ex. : v. 1624-1625. Loin de vouloir unir Bajazet et Atalide par les liens du mariage, Roxane prétend les réunir dans la mort.

litote *(n. f.)* : figure de rhétorique qui consiste à dire le moins pour faire entendre le plus. Ex. : v. 687-688. « Votre mort [...] ne me paraissait pas le plus grand des tourments. » Jalouse, Atalide en était même venue à souhaiter la mort de Bajazet.

lyrique *(adj.)* : en français moderne, se dit de la poésie exprimant des sentiments intimes au moyen de rythmes et d'images visant à faire ressentir au lecteur l'émotion du poète.

métaphore *(n. f.)* : figure de rhétorique qui consiste à employer un mot à la place d'un autre, avec lequel il a un rapport de sens ; la métaphore se fonde sur une comparaison sous-entendue. Ex. : v. 888.

métonymie *(n. f.)* : figure de rhétorique qui consiste à désigner une chose par un terme qui en désigne habituellement une autre, unie à la première par un rapport de nécessité logique, la cause pour l'effet, le contenant pour le contenu, etc. Ex. : v. 47, 1087. « Sceptre » sert à désigner la royauté.

monologue *(n. m.)* : scène où un personnage est seul et se parle à lui-même ; le discours lui-même.

nœud *(n. m.)* : point culminant de l'action, où événements et personnages sont liés entre eux et interdépendants.

oxymore *(n. m.)* : figure de rhétorique qui consiste à associer deux mots de sens contradictoire. Ex. : v. 1277.

parataxe *(n. f.)* : juxtaposition de propositions, sans conjonction de coordination ou de subordination entre elles. Ex. : v. 190-191.

pathétique *(adj.)* : qui émeut, qui suscite une émotion intense.

performatif *(adj.)* : se dit de tout énoncé qui équivaut à une action. Ex. : « je vous baptise... ».

péripétie *(n. f.)* : désigne, dans le théâtre classique, un événement inattendu qui modifie la situation des personnages et donne un tour nouveau à l'action, en particulier l'événement qui, en provoquant la crise, amène le dénouement ; par extension, tout événement imprévu (voir **coup de théâtre**).

protagoniste *(n. m.)* : personnage principal.

question oratoire : fausse question, qui contient déjà sa réponse ou qui équivaut à une affirmation. Ex. : v. 177-178.

rebondissement *(n. m.)* : développement nouveau de l'action après un événement.

récit *(n. m.)* : dans le théâtre classique, exposé fait par un personnage d'un événement qui s'est déroulé hors de la scène.

règles dramatiques : dans le théâtre classique, principes des trois « unités » (temps, lieu et action), de bienséance et de vraisemblance.

réplique *(n. f.)* : réponse d'un personnage à un autre ; propos de chaque personnage dans un dialogue.

retournement *(n. m.)* : changement soudain de la situation.

revirement *(n. m.)* : changement complet et soudain dans les dispositions d'esprit de quelqu'un.

rhétorique *(n. f.)* : art de composer les discours et de parler pour convaincre et persuader.

romanesque *(adj.)* : propre au roman ; par extension, se dit de toute fiction riche en aventures sentimentales et extraordinaires.

suspense *(n. m.)* : moment de nature à susciter chez le spectateur un sentiment d'attente souvent mêlé d'inquiétude ou d'angoisse.

synecdoque *(n. f.)* : figure de rhétorique qui consiste à désigner une chose par une autre avec laquelle elle forme un ensemble (désigner, par exemple, le tout par la partie, l'objet par la matière, le genre par l'espèce, le pluriel par le singulier, ou inversement). Ex. : v. 594, 643. « Sang » est ici utilisé pour parler de la personne qui en est issue.

tirade *(n. f.)* : longue réplique ininterrompue d'un personnage.

tragique *(adj.)* : qui concerne la tragédie ; qui évoque une situation de souffrance humaine et de fatalité.

trois unités : règle du théâtre classique. L'unité de temps demandait que la durée de l'action n'excédât pas vingt-quatre heures, celle de lieu, que l'action se déroulât dans un lieu unique et celle d'action, que la pièce ne traitât qu'un seul sujet et que les actions secondaires fussent rapportées à la principale (unité ne voulant toutefois pas dire simplicité).

vraisemblance *(n. f.)* : caractère de ce qui paraît vrai sans l'être nécessairement.

Collection fondée par Félix Guirand en 1933, poursuivie par Léon Lejealle de 1945 à 1968, puis par Jacques Demougin jusqu'en 1987.

Nouvelle édition
Conception éditoriale : Noëlle Degoud.
Conception graphique : François Weil.
Coordination éditoriale : Marianne Briault
                                    et Emmanuelle Fillion.
Collaboration rédactionnelle : Laurence Coyard.
Cordination de fabrication : Marlène Delbeken.
Documentation iconographique : Catherine Dumeu.
Schéma p. 15 : Thierry Chauchat.
Dessin de couverture : Alain Boyer

Sources des illustrations
Bernand : p. 74, 98, 133 et 161.
Giraudon : p. 5, 7, 53, 105 et 163.
Roger-Viollet : p. 11, 33, 38, 47 (coll. Harlingue-Viollet) ; 18, 23, 29, 40, 122 et 172 (coll. Viollet).

Composition : SCP Bordeaux.
Imprimerie Liberduplex (Espagne)
Dépôt légal : Janvier 2009 - 302910
N° de projet : 11008398 - Janvier 2009